PAENT!

Nofel gan

Angharad Tomos

Gwasg Carreg Gwalch

Argraffiad cyntaf: 2015

Rhif Llyfr Safonol Rhyngwladol: 978-1-84527-520-4
Cyhoeddwyd gyda chymorth Cyngor Llyfrau Cymru

Dylunio clawr a thu mewn: Eleri Owen

Cyhoeddwyd gan Wasg Carreg Gwalch,
12 Iard yr Orsaf, Llanrwst, Dyffryn Conwy, Cymru LL26 0EH.
Ffôn: 01492 642031; Ffacs: 01492 642502
e-bost: llyfrau@carreg-gwalch.com
lle ar y we: www.carreg-gwalch.com

Argraffwyd a chyhoeddwyd yng Nghymru

Hen luniau o Gaernarfon: Archifdy Gwynedd, Mair Lloyd Davies

Atgynhyrchwyd lluniau o Gasgliad Geoff Charles drwy garedigrwydd
Cynllun DigiDo, Llyfrgell Genedlaethol Cymru

LLYFRGELL GENEDLAETHOL CYMRU

I

Emrys a phawb sydd am weld Cymru'n rhydd

PENNOD 1

Ping!

Saethodd y belen bapur ar draws y dosbarth a tharo Pritch ar ei glust. Trodd a rhythu arna i.

"Be ydach chi'n feddwl ydach chi'n ei wneud, hogyn?" medda fo, ac mi ddeudais i'r gwir wrtho fo.

"Ddim fi wnaeth, syr!" Ac roedd hynny'n wir. Roedd gen i fand lastig ar y ddesg, ac ro'n i'n gwneud peli o bapur, ond nid fi oedd wedi saethu honno.

"Rhagor o lol, ac mi fyddwch o flaen y prifathro," medda fo, gan edrych arna i fel tasa fo eisiau fy lladd.

"We'll continue with the lesson ..." aeth yn ei flaen. "Having conquered the Welsh prince, Edward I went on to build his castle in Caernarvon, and presented his own son to the Welsh as the Prince of Wales."

Trodd i sgwennu hyn ar y bwrdd du, ac o fewn

eiliadau, roedd pelen arall yn saethu drwy'r awyr, ac yn taro pen yr athro. Trois yn sydyn i weld Morus yn gwenu'n slei arna i.

"Right – that's enough! Robert Aneurin, gawsoch chi eich rhybuddio – o flaen stafell y prifathro, rŵan!

Ro'n i'n wallgof.

"Nid fi ddaru!"

Daeth ataf a'm taro ar fy mhen efo'r llyfr hanes.

"Mae deud celwydd ar ben bob dim yn waeth!" Gafaelodd yn y bandiau lastig, a'u rhoi o dan fy nhrwyn.

"Ydach chi'n meddwl 'mod i'n dwp, hogyn? Ewch â rhain at y prifathro a deud wrtho be oeddech chi'n ei wneud efo nhw."

Roedd o wedi mynd yn hollol honco, a dyma gael fy hun o flaen stafell y Prif Gopyn yn syllu ar y drws ac yn crynu drwy 'nhin.

Cwbwl fedrwn i ei wneud oedd edrych ar ei enw ar y drws, a meddwl pa gosb oedd yn fy aros. Rhan o'r gosb ydi eich cadw yn aros. Hen bethau ffiaidd ydi athrawon.

Sori, dydw i ddim wedi deud wrthoch chi pwy ydw i, naddo – ac mae hynny'n beth difeddwl iawn. Be ydach chi haws o ddarllen hwn heb wybod pwy sy'n siarad efo chi? Robat ydw i. Dwi'n casáu fy enw llawn, *Robert Aneurin Jones.* Dwi wedi mynd yn swil i gyd rŵan, a dydw i ddim yn gwybod beth i'w ddweud.

Ond mae llyfr heb sgwennu'n ddiflas, felly mi wna i gario 'mlaen â'r hanes. Does gen i fawr i'w ddweud amdana i fy hun – dydw i ddim wedi byw'n ddigon hir i rywbeth ddigwydd i mi. Dwi 'run oed â chi, a dydi 'Mywyd Go Iawn i ddim wedi dechrau eto, os dach chi'n deall be sydd gen i.

Ar y dudalen yma, mi wna i restr o'r pethau dwi'n eu lecio.

Dwi'n lecio:

Adar

Tynnu lluniau

Byta lolipops

Chwerthin

Reidio beic

Pethau dwi ddim yn eu lecio:

Ysgol

Athrawon

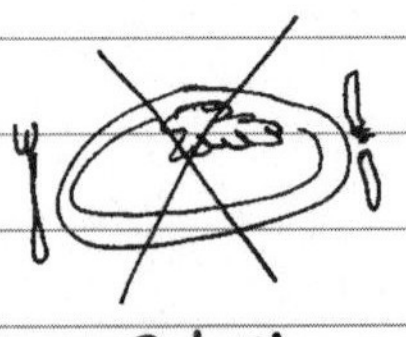

Cabaij

Gwaith cartref

Peth nesa dwi'n mynd i'w wneud ydi tynnu llun drws i chi:

Rhaid i chi benderfynu a ydych chi am agor y drws ai peidio. Gewch chi dorri o amgylch y drws, a'i agor go iawn. Fasa hynny'n syniad da, ond fasa fo'n malu'r dudalen. Drws i 'nhŷ ydi hwn. Drws i *Rhos yr Unman.*

Rŵan mi wyddoch sut le dwi'n byw ynddo. Lle dim byd a dim byd yn digwydd ynddo. Mae'r enw yn deud hynna wrthoch chi, ond mae rhaid i chi *fyw* yma i'w deimlo fo. Mae bob dim difyr yn digwydd y tu allan i fan hyn. Ym mhell tu hwnt i fan'ma.Yn Stryd Edward dwi'n byw, yn nhref Caernarfon, neu jest 'Dre', fel fydd pobl Dre – y Cofis – yn ei ddeud. O, a dwi'n mynd i Ysgol Segontium. Faswn i'n tynnu llun fy nghi i chi, ond does gen i 'run, felly mae o'n edrych fel hyn:

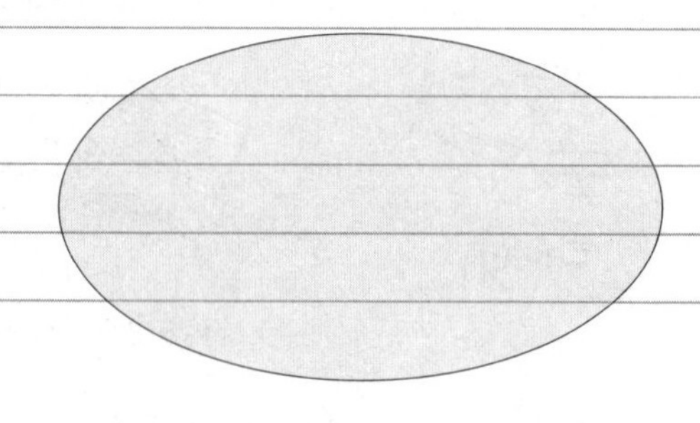

Ond tasa gen i gi, fel hyn fasa fo'n edrych. *Terrier* brown fasa fo, efo llygaid fel taffi wedi toddi. Mae gen i enw iddo, hyd yn oed – Rwtsh.

Ond rwtsh o gi ydi o ar hyn o bryd, achos dydi o ddim yn bod. Mi ga i o ryw ddydd, a fydd o a fi'n deall ein gilydd i'r dim. Fydd o byth yn flin efo fi, ac mi fasa'n deall yn union sut ydw i'n teimlo.

Dwi'n edrych ymlaen at adael cartra', a byw yn fy nhŷ fy hun, a gwneud fel y mynnaf. Neb i fy mhoeni, dim ond Rwtsh a fi'n byw'n ddiddig. Faswn i'n byw ar *chips* ac yn gwylio lot gormod ar y telefision, ond fasa 'na neb i weld bai arnon ni.

Es i draw i ben lôn heddiw, ar ôl ysgol. Ac fel ro'n i'n sefyllian o flaen Siop Gloch, yn Twthill Square, pwy basiodd ond Alys Mai. Ro'n i'n smalio 'mod i'n edrych i rywle arall, nes iddi sefyll reit o 'mlaen i.

"Be ti'n wneud yn fan'ma?" medda hi.

Wyddwn i ddim be i ddeud, ac roedd fy nhafod fel tasa fo mewn triog.

"Dim byd," medda finna'. Roedd hynny'n well na chyfaddef 'mod i'n trio'i hosgoi hi.

A dyma hi jest yn sbio arna i efo'r llygaid 'na sy'n toddi fy nhu mewn ac mae 'nhafod gwirion i'n deud 'run peth eto. "Dim byd."

"Lle ti'n byw?"

"Fyny fan'na," atebais, ac mi edrychodd Alys Mai i fyny i'r cymylau.

"Fyny'r stryd," medda fi. "Edward Street."

"Mynd am dro wyt ti?"

"Dwi'm yn gwbod," medda 'nhafod i, a llyncais fy ngeiriau am fod mor wirion. Dwi'n rhoi cynnig arall arni. "Isio llonydd ydw i."

"Mi wna i adael llonydd i ti, 'ta," medda hi, a throi ar ei sawdl.

Twmffat! meddyliais wrthaf fi fy hun, gan droi fy mhen a gweld Alys Mai yn mynd yn llai ac yn llai yn y pellter. Siŵr na wnaiff hi siarad efo fi byth eto. 'Mond trio bod yn glên oedd hi. A taswn i wedi deud 'mod i'n mynd am dro, falla fydda hi wedi cerdded efo fi.

Ond tasa hi wedi cerdded efo fi, fasa gen i ddim clem be i ddweud wrthi, ac mi fydda hynny wedi bod yn annifyr. A dwi'n dal i gochi wrth feddwl amdani'n edrych i'r cymylau pan ddeudais i lle ro'n i'n byw. Fyny fan'na, wir! Fatha taswn i'n angel yn gallu hedfan i fyny i'r awyr a chyrraedd Edward Street, o bobman ...

Dwi wedi blino ar y bennod yma rŵan, felly mi wna i gychwyn un arall. Os ydach chi'n darllen hwn fel rhan o'ch gwaith cartra', da iawn chi am gyrraedd cyn belled â fan hyn. Faswn i ddim wedi.

PENNOD 2

Weithiau, dwi'n meddwl mai'r ysgol ydi'r lle gwaethaf yn y byd. Dro arall, dwi'n meddwl mai'r ysgol ydi'r lle gorau yn y byd. Ysgol Segontium ydi enw ein hysgol ni, achos bod y Romans wedi bod yn Dre ers talwm. Wrth edrych ar yr athrawon, fedrwch chi feddwl eu bod nhw'n athrawon adeg y Rhufeiniaid, maen nhw'n edrych *mor* hen.

Gafodd Linda Mair syniad da heddiw. Roedd hi wedi addasu dipyn ar du blaen ein llyfrau Hanes. Fel hyn mae o i fod:

YSGOL SEGONTIUM

Fel hyn oedd o ar lyfr Linda Mair:

PYSGOD SEGONTIUM

Wrth gwrs, unwaith roedd un wedi gwneud hynny, roedd pawb eisiau gwneud. Rydan ni braidd fel yna yn ein dosbarth ni – dilyn ein gilydd fel defaid. Ond does neb yn teimlo ar ei ben ei hun yn y dosbarth – criw ydan ni, un criw mawr.

Rydan ni'n chwerthin lot, ac mae hynna'n beth da. Gan ein bod yn cael bywyd eitha caled (yn ein harddegau cynnar a bob dim felly), does dim byd yn gwneud mwy o les i ni na *llond bol o chwerthin.*

Dyna ddigwyddodd heddiw pan aeth Elis i mewn i'r cwpwrdd. Bai Elis oedd o. Does neb i fod i fynd i mewn i'r cwpwrdd. Cwpwrdd athrawon ydi o, a fan'no maen nhw'n cadw llyfrau sgwennu, llyfrau gwersi, sialc, beiros a phob math o 'nialwch mae pobl eu hangen pan maen nhw'n athrawon. Mae o'n fwy na chwpwrdd – fatha cornel o'r stafell wedi'i chau ymaith efo drws.

Smalio bod yn athro oedd Elis, ac mae o'n un da am ddynwared. Roedd o wedi rhoi'i sbectol yn gam ac yn dynwared Meipan, yr athro Saesneg, ac roeddan ni wrth ein boddau. Pan oedd Elis ym mhen draw'r cwpwrdd, sylwodd Elma ar y goriad yng nghlo'r drws. Gwelodd ei chyfle – caeodd y drws yn glep a throi'r goriad.

"Titsar!" gwaeddodd Morus, a dyma ni'n sgrialu i'n desgiau fel mellten, wrth i Meipan gerdded i mewn.

Hen athro diflas ydi Meipan, a dydi o ddim yn trio gwneud y gwersi'n ddiddorol. Mae ei sbectol yn gam, mae ganddo lais trwynol, ac mae o'n dweud o dan ei ddannedd, "Trowch i dudalen cant a deg – hundred and ten, and we'll carry on ... cario 'mlaen o lle roedden ni wythnos dwytha."

Does neb yn cofio lle roeddan ni wythnos dwytha, wrth gwrs.

"Can anyone remember where we were last lesson?"

Mae o'n darllen rhyw gerdd hir. Rhaid bod rhywbeth yn bod ar fardd i sgwennu cerdd sydd byth yn stopio. Does gynnon ni ddim clem am be mae hi'n sôn, ac mae hi'n rhy hwyr rŵan i holi'r athro.

"And from this chasm, with ceaseless turmoil
seething,
As if this earth in fast thick pants were
breathing."

"Hi hi!" chwarddodd Linda Mair, yn methu dal. Cododd Meipan ei lygaid o'r llyfr a gwneud wyneb hyll arni. "Tyfwch i fyny, wnewch chi," medda fo'n flin. Mae hynna'n beth rhyfedd am yr athrawon. Saesneg maen nhw'n ei siarad efo ni, ond pan maen nhw'n ein ceryddu neu eisiau i ni ddeall rhywbeth, maen nhw'n siarad Cymraeg.

"Huge fragments vaulted like rebounding hail,
Or chaffy grain beneath the thresher's flail."

Dwi'n sbio ar Harri Mawr i weld a ydi o eisiau lluchio *blotting paper* neu dynnu gwalltiau genod, ond mae yntau'n edrych fel tasa fo'n hanner cysgu. Dwi'n syllu ar Meipan ac yn ystyried a ddylai rywun ei riportio am fod yn athro mor ddiflas.

Dyna sut mae gwers efo Meipan. Mae ei lais fel uwd trwchus, ac rydan ni'n cael ein boddi ynddo fo nes bod gan neb fynadd gwrando, heb sôn am chwarae triciau.

"Does anyone know what a thresher's flail is?"

Distawrwydd llethol. A dyna pryd rydan ni'n clywed y gnoc.

"Come in," medda Meipan, ond does dim yn digwydd, wrth gwrs.

"Harri ... do you have any idea?" hola Meipan.

"Sori syr, be oedd y cwestiwn?"

Cnoc eto – yn uwch y tro hwn.

Mae Meipan yn tuchan, gadael ei lyfr ar y ddesg ac yn mynd tuag at y drws. Mae Harri yn gweld ei gyfle, ac yn cau'r llyfr yn glep. Mae Meipan yn agor y drws, ac wrth gwrs, does neb yno.

Erbyn i Meipan ddod yn ôl at y ddesg a thrio ffeindio'r dudalen, mae'n clywed y gnoc eto – o gyfeiriad y cwpwrdd.

Ar adegau fel hyn mae ein dosbarth ni'n dda. Does neb yn yngan gair, ond mae pawb yn deall meddwl y naill a'r llall. Rydan ni fel llygod bach yn gwylio be mae Meipan yn mynd i'w wneud nesaf. Mae Meipan yn gwybod yn iawn ei fod ar brawf, a bod tri deg pâr o lygaid yn ei wylio i weld a wnaiff o ffŵl ohono fo'i hun.

Daw sŵn curo taerach y tro hwn. Mae'n sŵn pathetig.Wrth sbio ar y drws, dwi'n sylwi nad ydi'r goriad yn y twll clo. Mae rhywun yn mynd i'w chael hi rŵan.

"Oes yna rywun yn y cwpwrdd?" hola Meipan. A mwya sydyn, 'dan ni'n dechra chwerthin – chwerthin yn harti am ei fod o'n gwestiwn mor wirion. Ond mae wyneb yr athro fel caead arch, heb arlliw o wên arno.

"Oes yna rywun yn y cwpwrdd?" medda fo eto, yn codi'i lais.

"Oes – fi!" medda'r llais yr ochr arall i'r drws.

"Pwy ydach chi?"

"Elis Parry."

Ew, rydan ni'n mwynhau'r ddrama. Mae hi gymaint difyrrach na dim sgwennodd Coleridge.

Mwya sydyn, mae Meipan yn troi ata i – am mai fi sydd yn y ddesg flaen, ac yn dweud wrtha i am agor y cwpwrdd. Does gen i ddim dewis ond mynd i'r cefn a thrio agor y cwpwrdd, a fedra i ddim, wrth gwrs, gan ei fod ar glo.

"Gan bwy mae'r goriad?" hola'n sych. "Os na wnewch chi gyfaddef, mi fydd yn rhaid i chi fynd at y Prifathro."

Tawelwch.

Erbyn hyn, mae pawb wedi troi i edrych ar Elma, ac mae hi'n gwybod bod rhaid iddi gyfaddef. Mae'n codi, ac yn rhoi'r goriad i Meipan.

Ond dydi Meipan ddim yn ei gymryd. Mae o'n chwarae gemau, ac yn dweud wrth Elma am agor y drws ei hun. Wn i ddim sut fath o olwg mae Elis yn ei rhoi iddi. Wrth gwrs, ddylai o ddim fod wedi mynd i'r cwpwrdd yn y lle cynta.

"Rŵan, Elma, ewch at y Prifathro ac eglurwch wrtho be ydach chi wedi'i wneud."

Jaman. Mae hynna'n wael. Chwarae'n fudur ydi hynna. Fel 'na mae'r athrawon mwya snichlyd. Mae gen i biti dros Elma rŵan.

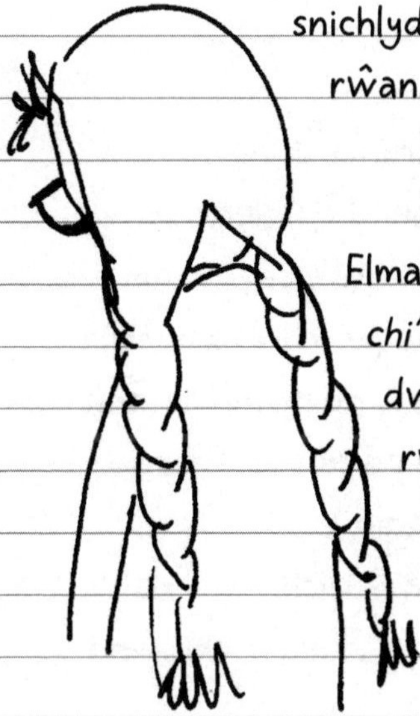

"Ond syr!"

"Dau ddewis sydd gennych chi, Elma Pritchard – naill ai rydach *chi'n* mynd at y Prifathro, neu dwi'n mynd â chi ato fo ... rŵan, ewch."

Ac i ffwrdd â hi drwy'r drws, a'i phlethi un cam y tu ôl iddi.

PENNOD 4

£100

Llyfr Prin Iawn

Dwi'n gwybod be ddaru chi rŵan – troi'n ôl i weld lle roedd pennod 3. Ydw i'n iawn? Neu ddod i'r casgliad nad ydw i'n gallu cyfrif. Neu meddwl eich bod wedi dod o hyd i gamgymeriad yn y llyfr. Does yna ddim pennod 3 yn y llyfr hwn. Dyma'r unig lyfr *yn y byd* heb drydedd bennod. Mae o'n llyfr unigryw. Cadwch y copi yma am byth, achos falla y bydd o'n llyfr prin iawn yn y dyfodol.

Welais i gnocell y coed bore 'ma – yn yr ardd. Dydw i byth yn gweld cnocell fel rheol. Wel, roedd o'r tro cynta i mi weld un yn yr ardd. Ar goeden roedd hi – nid un werdd, ond un goch a du. Ddylwn i nodi hynna mewn llyfr arbennig sydd gen i, ond dwi'n methu dod o hyd iddo, felly dwi'n ei nodi yn fan hyn rhag ofn i mi anghofio ...

Mai 2: Gweld cnocell y coed (un goch a du)

Mi fyddwn innau'n lecio byw mewn coeden, ond byw mewn tŷ rydw i, tŷ teras diflas efo Dad, Mam a Megan Edwina (fy chwaer). Mae hi'n 17 oed, sy'n swnio'n ofnadwy o hen. Pan ges i 'ngeni, roedd hi'n dechrau yn yr ysgol, felly ges i fy magu fel plentyn unig, neu unig blentyn (wn i ddim beth ydi'r gwahaniaeth).

Erbyn i mi ddechrau mynd i'r ysgol, roedd Megan Edwina ar fin mynd i'r ysgol fawr. Felly dwi'm yn meddwl amdani fel chwaer, dim ond fel un oedolyn arall yn y tŷ i'm ceryddu a chadw llygad arna i. Pan ddaru Megan adael yr ysgol a dechrau gweithio, ro'n i'n meddwl amdani fel person anhygoel o hen. Ac yn meddwl – braf arni, byth eto'n gorfod mynd i'r ysgol – a chael ei thalu ar ben hynna. Bechod na fyddai hi wedi cael gwaith mewn siop dda-da neu stondin bop neu ffatri deganau. Fasa hi wedyn yn gallu rhoi da-da neu deganau am ddim i mi. Ond na, mi gafodd job mewn siop ddodrefn. Pa iws ydi hynny i neb?

Dydi o ddim fel taswn i'n medru cael hwyl wrth ddwyn, hyd yn oed. Fedrwn i a Tudur (fy ffrind gorau) ddim mynd i'r siop a dwyn wardrob, na fedrwn? Felly dydi o ddim gwerth o gwbwl cael chwaer fawr yn gweithio mewn siop. Mewn garej mae brawd mawr Tudur yn gweithio, sy'n iawn os ydych chi eisiau sbrings neu sgriws neu unrhyw bondibethma. Mae'n dda pan mae chwiorydd neu frodyr mawr yn rhoi punt i chi rŵan ac yn y man – hyd yn oed jest i gael gwared ohonoch.

Gawson ni bractis canu yn yr ysgol heddiw – rydan ni mewn parti. Dydi hynna ddim hanner cymaint o hwyl ag mae o'n swnio. Parti deulais ydi o, a gawson ni'r *wobr gynta* yn y Steddfod Sir – rhywbeth sydd erioed wedi digwydd o'r blaen. Felly rydan ni'n cael mynd i Aberystwyth – i Eisteddfod Genedlaethol Urdd Gobaith Cymru. Da, 'de? Does gen i ddim llais mor dda â hynna, ond dwi'n swnio'n llawer gwell efo dwsin o blant eraill. A dwi'n lecio'r teimlad fydda i'n ei gael wrth ganu mewn côr – dach i'n teimlo fel tasach chi'n gallu trechu'r byd.

Godais i cyn pawb arall yn ein tŷ ni heddiw, a mynd i lawr at Post Bach. Dwi'n lecio gwneud hynny ambell waith – bod o gwmpas cyn i weddill y byd ddeffro. Mae gen i fy hoff ran o'r wal lle dwi'n eistedd. Mwya sydyn, dwi'n sylwi ar yr arwydd 'Twthill Square', a dydi o ddim yna. Wel, mae'r arwydd yno, ond dydi'r sgwennu ddim. Mae yna baent drosto, paent gwyrdd. Dim paent twt, ond rwtshi-ratsh. A dwi'n syllu a syllu a meddwl pam yn y byd fasa rhywun yn gwneud hynna.

Dwi'n cofio'r arwydd yna yn fan'no erioed. Mi fydda gen Nain ryw gêm pan oeddwn i'n dechrau nabod fy llythrennau. Mi fydda hi'n gafael yn fy mys a'i dywys dros y siapiau wrth ddeud y llythrennau. Dim ond y 'Twthill' y byddan ni'n ei wneud – byth 'Square'. A chofiaf allu ei ddarllen yn iawn am y tro cynta, a dyfalu beth oedd ystyr Twthill Square.

Pwy ddaeth heibio ond Glyn Wisgars, hogyn sy'n gwneud y rownd bapur, ac roedd o bron ar ddiwedd ei rownd.

"Pwy wnaeth hyn, Glyn?" medda fi, a gwenu gan 'mod i wedi odli.

"*Extremists*, 'de," medda fo, fel tasa hwnnw'n ateb hollol amlwg.

"Pa *extremists*?" medda finna', fatha tasa 'na gant a mil ohonyn nhw.

"*Welsh Nash*, de," medda fo, gan fynd yn ei flaen.

brên Glyn Wisgars

"Pam?" gwaeddais ar ei ôl, ond ddaru o ddim ateb. Falla nad oedd o'n gwybod. Tydi Glyn Wisgars mo'r brên mwya sy'n bod.

Gerddais i'n ôl wedyn a smalio mai fi oedd Wil Plisman, a meddwl mor gynhyrfus fasa fo pan fasa fo'n dod ar draws yr arwydd. Mi fydda ganddo fo rywbeth i'w wneud wedyn yn lle rhoi ffrae i mi a'r hogia am ddwyn afalau. Mi fydda fo'n gorfod gwneud *investigation* fel maen nhw'n ei wneud ar *Z Cars*.

Wrth gerdded at y tŷ, sylwais i fod paent wedi'i roi ar arwydd ein stryd ninnau. Roedd 'Edward Street' wedi'i beintio yn yr un paent gwyrdd. Roedd yr un *extremist* wedi bod o fewn taflaid carreg i'n tŷ ni! Dychmygais o yn ei falaclafa a'i siaced *combat*, yn rhuthro o le i le mewn car *getaway*. He he! Dipyn o gynnwrf o'r diwedd ger Rhos yr Unman!

Amser brecwast, dyma fi'n deud yr hanes wrth Dad a Mam, ond rhyw dwt-twtian wnaeth Dad, a deud o dan ei wynt, "Tydyn nhw ddim yn dechra yn fan hyn hefyd?" 'Nes i holi mwy, a deall bod y *Welsh Nash* yn peintio arwyddion am eu bod nhw'n Saesneg. Fy ymateb cynta oedd 'gwirion', achos fel ddeudodd Dad, sut fasan nhw'n gallu rhoi enwau Cymraeg ar bob dim? Dydi pawb ddim yn deall Cymraeg, ond mae pawb yn deall Saesneg.

Yn yr ysgol, gawson ni hwyl yn y wers *Biology*, achos roedd Dosbarth Chwech wedi cael agor llygoden fawr, ac roedd rhywun wedi gadael y gynffon yn y bin, a ddaru Lari Leino redeg ar ôl y genod efo hi a ddaru pawb sgrechian. Gafodd o *hundred lines* am wneud, a fuodd yn rhaid iddo fo sgwennu 'I must not chase girls with a rat's tail.' Am hwyl ...

Doeddwn i ddim eisiau mynd adra'n syth wedyn, achos doedd gen i ddim byd i'w neud, felly aeth Tudur a fi i Cae Swings i weld a oedd rhywun yn fan'no. Doedd 'na neb, ac wedyn es i a Tudur heibio'r arwyddion oedd wedi'u peintio.

"Da iawn," medda Tudur, a dyma fi'n gofyn pam.

"Achos mai Cymraeg ddylia enwau strydoedd fod," medda fo. "Cymru ydi fan hyn a Chymraeg ydi'r iaith."

A phan ddeudodd o hynna, roedd o'n swnio y peth mwya amlwg yn y byd.

PENNOD 5

Dwi'n rhyfeddu at sut mae adar yn bwyta. Dwi wedi gosod peth dal cnau ar y bwrdd adar tu allan i ffenest y gegin, a dyna 'nes i yn ystod amser brecwast – sbio ar ditw tomos las yn bwyta. Roedd o'n pigo bwyta'n sydyn, sydyn, ac yn edrych dros ei ysgwydd drwy'r amser, rhwng pob cegiad. Mi fydda'n gas gen i orfod gwneud hynny, gan ofni 'mod i ar fin cael fy mwyta. Fedra i ddim dychmygu chwaith gorfod cynnal fy hun ar weiren gerfydd fy nhraed er mwyn cael bwyta. Mae'n siwr ei fod o'n deimlad anghyfforddus. Ond dyna fo, ella na fedar titw tomos las ddim dychmygu sut deimlad ydi o i eistedd i lawr wrth fwrdd a thrin cyllell a fforc.

Roedd 'na helynt yn ein dosbarth ni heddiw. Mae pawb yn gwneud hwyl am ben Medwyn druan, ac mae o'r peth mwya diniwed dan haul. Ond fuodd Lari yn gas efo fo, yn rhoi siani flewog i lawr ei grys, ac mi sgrechiodd dros bob man. Dydi Medwyn ddim yn agor ei geg fel arfer, heb sôn am sgrechian, oedd yn gwneud y peth yn ddigrifach. Fuodd yn rhaid iddo fo fynd i'r lle chwech wedyn i gael gwared o'r siani flewog. Ond chwarae teg iddo fo, ddaru o ddim sbragio ar Lari. Ac er bod pawb yn y dosbarth yn gwybod mai Lari wnaeth, ddeudodd neb yr un gair.

Mae Lari i fod yn y parti canu, ond doedd o ddim. Rydan ni'n colli amser chwarae efo'r holl ymarferion, sy'n niwsans. Mae pawb wedi cael digon ar y gân wirion erbyn hyn.

"Mr Price isio gweld Robat," medda Dilwyn ar ôl cinio. Mr Price ydi'r Prifathro, neu'r Prif Gopyn, fel rydan ni'n ei alw fo. Fel arfer, pan gaf fy hel ato, mae gen i syniad go lew pam, ond y tro hwn, fedrwn i ddim dyfalu.

"Robert."

"Syr."

"Dwi isio i chi wneud rhywbeth." (Whiw, wedi'r holl boeni, doeddwn i ddim wedi gwneud dim byd o'i le.) "Hogyn newydd sydd wedi dod i'r ysgol. Philip Neyland ydi'i enw fo, ac mae'n dod o Runcorn. Dydi'r creadur ddim yn deall gair o Gymraeg, ac mi fydd o ar goll am yr wythnosau cynta, felly rydw i'n awyddus i chi fod yn ffrind iddo fo."

Jest grêt, meddyliais.

Jaman go iawn ydi hynna. Dwi'n cael llun yn fy mhen o bawb arall ar yr iard yn chwarae'n hapus, a fi'n cerdded o gwmpas efo Philip o Runcorn, a phawb yn ein trin fel tasa ganddo ni'r gwahanglwyf.

"Gewch chi fynd rŵan, Robert," medda'r Prif Gopyn, "a pheidiwch ag edrych fel tasa'r byd wedi dod i ben."

Daeth Philip Neyland i'r dosbarth y diwrnod wedyn, ond drwy ryw drugaredd, gafodd o eistedd mewn desg ar yr ochr, ar ei ben ei hun. Mae'r gwersi yn Saesneg i gyd, felly chaiff o ddim trafferth deall rheiny. Dim ond amser chwarae fydd yn chwithig, a mwnci fel fi sydd wedi cael y joban o edrych ar ei ôl yr adeg yna. Pan aeth y gloch, dyma Meipan yn galw arna i.

"Robert, I understand you're looking after Philip during break."

Pam ei fod o'n siarad Saesneg efo fi mwya sydyn? Cymraeg ydi'r athrawon i gyd, ac maen nhw'n stopio siarad Saesneg pan mae'r wers ar ben.

"Philip, this is Robert Jones, and he'll be a familiar face amidst hundreds of new ones."

Rydan ni'n dau'n edrych ar ein gilydd fel dau ful.

"Deud rhwbath wrtho fo, Robat," hisiodd Meipan.

Ond doedd gen i ddim byd i'w ddweud – wedi'r cyfan, doeddwn i erioed wedi gweld yr hogyn o'r blaen. Chwarae teg i'r hen Philip, fo agorodd ei geg gynta.

"I'm Philip," medda fo, ac estyn ei law allan.

"I am Robat," atebais, gan gadw fy nwylo yn fy mhocedi. Hen ddynion sy'n ysgwyd llaw.

"Run along and play!" medda Meipan, fel tasan ni'n dair oed. "A Robat – mi fydd yn rhaid i chi neud mwy o ymdrech na hynna!"

Ar ôl inni fynd i'r iard, trodd Philip ataf. "He's a bit of an idiot, isn't he?" a dwi'n gwenu.

"He is," cytunais. Pam 'mod i'n swnio'n wahanol pan dwi'n siarad

Saesneg? "Dw iw laic ddy sgwl?" Fel 'na ro'n i'n swnio.

"Dunno – only been 'ere this mornin'." Mae ei Saesneg yntau'n ddiarth hefyd, ddim 'run fath â'r dyn sy'n deud y newyddion ar y telefision. "It's all a bit Welsh," meddai.

"That's because you're in Wales," meddwn i, ac roedd hynna'n swnio'n rhyfedd hefyd. Ar yr iard, does neb yn cymryd sylw ohonom.

"You like football?" gofynnodd Philip.

"Yeah," medda finna', yn trio swnio fel rhywun arall.

"Any chance of a game, mates?" gwaedda Philip ar y gweddill. A chyn pen dim, doedd dim rhaid siarad, dim ond cicio pêl, ac roedd bob dim yn iawn.

Amser cinio, 'nes i'n siŵr 'mod i'n cadw efo'r criw, a wnaeth Philip siarad dipyn bach efo pawb. Mae o'n olréit, debyg.

PENNOD 6

Gafon ni sioc ddoe. Ro'n i wedi dod adra o'r ysgol ac yn cael tost yn y gegin – tost a jam, ac yn siarad efo Mam pan ddaeth Megan adra. Roedd golwg ofnadwy arni.

"Ti'n sâl, cyw?" gofynnodd Mam iddi, ac mi ddechreuodd hi feichio crio.

"Be sydd?" medda Mam wedyn, a rhoi ei braich amdani.

"Wedi cael y sac ydw i," atebodd Megan.

Ar adegau fel hyn, pan mae pethau'n mynd o chwith, dwi jest eisiau dianc i'm llofft, allan o'r ffordd. Ond roedd hyn yn swnio'n ddiddorol, felly arhosais i lle ro'n i. Fedrwn i ddim meddwl pam yn y byd fyddai Megan Edwina yn cael y sac. Mae'n bihafio'n llawer gwell na fi, a dydi hi byth yn creu helynt.

"Duda, Megan fach," medda Mam a rhoi panad

o de a bisged iddi – un efo hufen yn y canol, fy ffefryn i. Jaman – dim ond tost ges i. Fasa'n well o lawer gen i gael *custard cream*.

"Be ddigwyddodd?" gofynnodd Mam wedyn, a 'nes i feddwl, tasa Mam yn bod yn ddistaw, falla y byddai Megan yn cael cyfle i ddeud.

"Atab y ffôn yn Gymraeg wnes i ..." medda hi, ymhen hir a hwyr.

"Pam wnest ti hynna, Megan? Ti'n gwybod mai yn Saesneg wyt ti i fod i atab y ffôn!" Daeth cwmwl dros wyneb Mam. "Ti'm yn troi'n *extremist*, nag wyt?"

Ac ar hynny, mi ddechreuodd Megan grio eto. Fy nhro i oedd hi wedyn i edrych yn hyll ar Megan.

"G'leua hi o 'ma, Robat!" stranciodd Megan.

Ond wnes i ddim. Dim ond aros lle ro'n i. A meddwl peth mor rhyfedd oedd poeni bod rhywun yn troi'n *extremist*, ac yn cael clustiau pigog cyn diflannu i'r gofod. Naci siŵr ... meddwl am Daleks ydw i. Ac *exterminate* mae Daleks yn ei ddeud nid *extremist*. Dwi'n medru bod rêl lembo weithiau ...

"Be roddodd y syniad yn dy ben di, pwt, i siarad Cymraeg ar y ffôn?"

"Wedi cael llond bol ar atab y ffôn yn Saesneg ydw i," atebodd Megan, yn chwythu ei thrwyn, ac yn yfed ei the. "Ers rhyw wythnos, dwi wedi bod yn atab y ffôn yn Gymraeg, a does neb wedi cwyno. Ond rhaid bod rhywun wedi fy riportio i. Ges i ryw grinc ddoe yn deud 'Speak English' wrtha i."

Rhaid mai dyna ddaru droi'r drol. Ddim bod hynna'n ddigon iddi golli ei swydd, ond aeth Megan ymlaen â'r stori.

"Ofynnodd Mr Pettington am fy ngweld i heddiw, a gofyn i mi ymddiheuro."

"A wnest ti?" medda Mam.

"Naddo." atebodd Megan yn swta.

"Does gen ti neb ond chdi dy hun i'w feio, 'ta. Ti wedi bod yn un gyndyn erioed i syrthio ar dy fai," medda Mam.

"Ond fedra i ddim deud sori am siarad Cymraeg!" medda Megan yn ddagreuol. Ro'n i'n cytuno efo Megan.

"Nid deud sori am hynna wyt ti, ond am bechu'r dyn oedd wedi ffonio!"

"Dydw i ddim am ddeud fod yn ddrwg gen i wrth ryw gorcyn o Sais!" medda Megan, yn dod ati ei hun.

"Dyna fo. Ro'n i'n meddwl bod y 'petha' iaith' 'ma wedi cael dylanwad arnat ti. Does gen ti ddim job rŵan."

Ddeudodd Megan ddim byd wedyn, ond gwelais ddau ddeigryn mawr yn dod i lawr ei boch. Dydi o ddim yn digwydd yn aml, ond roedd gen i biti dros fy chwaer.

Roedd yr holl fusnes yn *hw ha* go iawn. Pan ddaeth Dad adra, mi gafodd Megan druan ffrae arall, ac roedd o'n gas efo hi. Fel rheol, ddeudith Dad ddim byd, dim ond gadael i Mam ddatrys pob anghydfod. 'Mond iddo fo gael ei bapur a'i banad, yna does fawr ddim yn styrbio Dad. Ond ddim tro 'ma.

Dwi'n trio cadw allan o'r peth i gyd, felly dwi yng nghanol fy llanast fy hun fan hyn. Dwi'n lecio fy stafell. Dyma'r unig le ble fedra i deimlo 'mod i ar fy nhoman fy hun. Mae'n gas gen i pan mae 'na ryw hen ffrae fel hyn yn digwydd ac yn creu hen deimlad annifyr rhwng pawb. Mae o fel tasa 'na gleddyfau'n crogi o'r to, a dydych chi ddim yn siŵr iawn pwy fydd y nesaf i gael waldan, felly mae'n rhaid i chi fod yn wyliadwrus drwy'r adeg. Yn union fel mae adar pan maen nhw'n bwydo. Mae'r holl ffrae yn troi yn fy mhen fel meri-go-rownd.Y mwya dwi'n meddwl am y peth, yna'r mwya dwi'n meddwl nad oes bai ar Megan.

Cwbwl ddaru hi oedd ateb y ffôn yn Gymraeg. Yng Nghaernarfon oedd hi. Tasa hi yn Runcorn, (lle bynnag mae fan'no), mi fyddwn yn gweld bai arni, ond doedd hi ddim. Felly mi wnes i rywbeth reit aeddfed. 'Nes i guro ar ddrws ei stafell wely – rywbeth na fydda i byth yn ei wneud. Mae o fel lle gwaharddedig. Fasa'n haws gen i guro ar ddrws 10 Downing Street – wir i chi. Llofft Megan Edwina ydi'r lle anoddaf dan haul i gael mynediad iddo. Faswn i ddim yn synnu gweld arwydd 'No Entry' arno.

Cnoc, cnoc.

"Dos o 'ma."

"Robat sydd yma ..."

"Dos o 'ma!"

"Dwi isio deud rhwbath!"

"Dwi'm isio'i glywad o."

Wn i ddim beth ddaeth drosta i, ond dyma fi'n agor y drws. Roedd Megan ar ei gwely yn edrych yn ddigalon. Dyma hi'n cymryd un olwg arna i ac yn rhoi ochenaid fawr.

"Dwi jest isio deud 'mod i'n meddwl ... dy fod di'n ddewr iawn."

Edrychodd yn hurt arna i – fel ei bod hi'n methu credu bod y geiriau roedd hi newydd eu clywed wedi dod allan o 'ngheg (ro'n i'n teimlo 'run fath).

"A dim ots be mae Mam a Dad yn ei ddeud, dwi'n falch dy fod di'n chwaer i fi."

O lle ddaeth hynna? meddyliais. Ac mi wenodd arna i, a sbio'n annwyl a deud "diolch".

Es i 'nôl i fy stafell yn meddwl, dyna od. Doedd hynna ddim 'run fath â fi o gwbwl.

"Cliria dy lofft!"

Pan nad oes gan Mam ddim byd i'w wneud, mae hi'n deud hynna. Ond dio'm ots beth bynnag dwi'n ei wneud i'r llofft, mae hi'n dal yn flêr.

Ond dwi'n ei lecio hi fel hyn, achos fy mhethau i ydyn nhw i gyd. A phan dwi'n clirio, fedra i ddim dod o hyd i ddim byd. Felly dwi fel rhyw wiwar fach yn ei gwâl, a fan hyn ydi fy nyth. Ar y wal, mae'r pethau dwi'n eu lecio, ac mae 'na lot o bethau o gwmpas a dim ond fi sydd yn gwybod beth ydyn nhw. Llanast ydi o i bawb arall, ond i mi, maen nhw'n bethau gwerthfawr.

Fy nghasgliad o gerrig prin

sydd ar y sil ffenest. Mae'r pentwr comics wrth eu hymyl yn gasgliad dwi'n falch iawn ohono. Mae gen i dipyn o lyfrau, ond comics dwi'n eu darllen drosodd a throsodd. Dydych chi byth yn blino ar gomics. A dim ots be sy'n digwydd, mae'r cymeriadau mewn comics yn dal 'run fath, wythnos ar ôl wythnos. Petai bom yn disgyn ar y lle 'ma, a finna'n cael fy nghladdu o dan y tŷ heb fwyd na diod, cyn belled â 'mod i'n gallu symud fy mraich ac estyn am *The Beano*, faswn i'n ddedwydd.

'Nialwch mae Mam yn galw y pethau sydd ar fy silffoedd, ond dwi wedi deud wrthi mai fy 'nialwch i ydi o. Yn ei *handbag* mae hi'n cadw ei 'nialwch hi, a dydw i ddim yn deud wrthi byth a beunydd am ei glirio.

Dillad sy'n gwneud y stafell 'ma fwya blêr, a does gen i ddim help am hynna. Wn i ddim be sy'n lân a be sy'n fudur. Felly dwi'n meddwl am hynna fel llanast Mam, achos hi ydi'r un sy'n ei sortio.

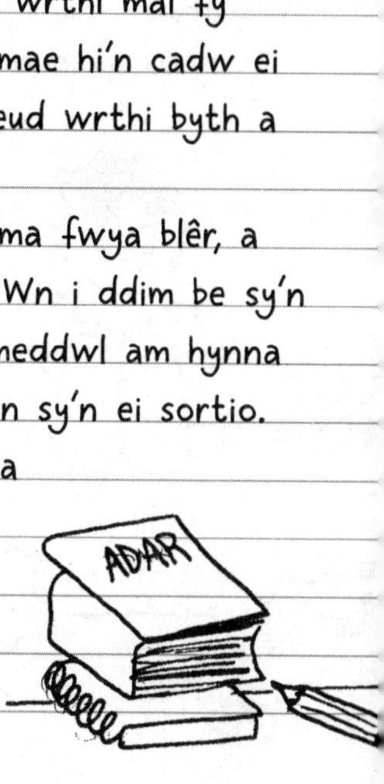

Mae gen i ormod o bensiliau a phapur ym mhob twll a chornel, ond dwi'n gyndyn iawn i daflu dim. Mae gen i gant a mil o lyfrau nodiadau hefyd, a llawer ohonyn nhw'n sôn am yr adar dwi wedi'u gweld. Fedrwch chi byth gael gormod o lyfrau am adar.

Y peth nesaf a wydden ni oedd fod llun Megan yn y papur a'r stori yn y newyddion. Pethau rhyfedd ydi mamau. Unwaith y dalltodd Mam fod y peth yn 'stori fawr', roedd hi'n cefnogi Megan.

"Roedd y beth fach yn iawn i siarad Cymraeg," medda hi wrth bawb. "Ein gwlad ni ydi hon."

Roedd geiriau Mam yn y papur wedyn. 'Nes i ddeud jôc a deud fasa Mam yn gallu ymuno â Chymdeithas yr Iaith."Crinc," medda Mam. Mae hi'n meddwl nad oes dim rhwng fy nwy glust.

Pan es i'r ysgol y diwrnod wedyn, dyma Harri Mawr yn mynd heibio i mi yn y coridor. "*Welsh Nash,*" medda fo'n slei. Edrychais o 'nghwmpas i weld efo pwy roedd o'n siarad, ond dim ond y fi oedd yno. Fi? *Welsh Nash*? Yna, gofiais i am Megan, a deud wrthi'r noson honno fod beth roedd hi'n ei wneud yn effeithio arna i, a bod y plant eraill yn galw enwau arna i yn yr ysgol.

"Wel, mi ddylat ti fod yn *Welsh Nash,* siŵr – be haru ti?" oedd yr unig sylw ganddi hi. Ddywedodd hi hefyd nad oedd Mrs Hughes,

Glanfa, yn edrych arni ers i 'mhêl i falu chwarel yn ei thŷ gwydr. Faswn i'n reit falch tasa Mrs Hughes ddim yn edrych arna i. Bob tro dwi'n ei gweld, mae hi'n gwneud llygaid peryg arna i. Llygaid sy'n dweud "Faswn i'n dy flingo di'n fyw taswn i'n cael hannar cyfla." Dyna be mae'r rhan fwyaf o bobl yn ei feddwl am bobl ifanc, ond fiw iddyn nhw ddeud hynny ar goedd.

PENNOD 7

Mae'r busnes peintio arwyddion wedi cydio go iawn. Dim ots i le dwi'n mynd, mae rhywun wedi bod wrthi efo paent gwyrdd. Dwi'n meddwl ei fod o'n reit gynhyrfus. Ddoe, ro'n i'n pitïo nad oedd enw Saesneg ar Rhos yr Unman, i mi gael peintio hwnnw. Wn i ddim be fasa fo'n Saesneg. Holais i Philip, ac wedi i mi drio egluro, mi gynigiodd o 'Bog of Nowhere', ond 'Rhos y Nunlla' fasa hynna. Mae o wedi dechrau fy ngalw yn 'Bog Bob' rŵan.

Yn Dre ei hun, mae pawb wrthi'n peintio, ond peintio adeiladau maen nhw. Mae sôn yn y papur fod C'narfon wedi cael cannoedd o bunnoedd i'w gwario ar baent. Felly dyna lle maen nhw wrthi, pawb fel lladd nadroedd, yn trio cael eu lle nhw'n barod mewn pryd ar gyfer y Sioe Fawr. Yr unig le nad ydyn nhw'n mynd i'w beintio

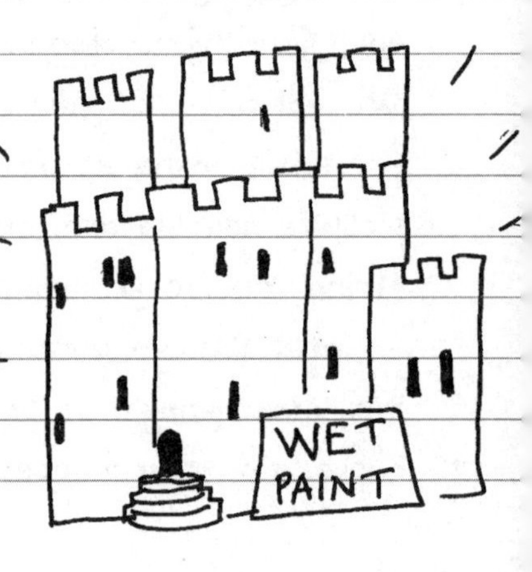

ydi'r castall, ac eto, fan'no fydd canolbwynt y sbloets. Bechod gwastraffu yr holl arian ar baent, a hynny ddim ond am un diwrnod. Faint o arwyddion Cymraeg allai rywun ei brynu am y swm yna – ac arbed llawer o waith peintio i aelodau Cymdeithas yr Iaith?

Heddiw welais i dderyn na wyddwn i ei enw. Roedd o ar y bwrdd adar, ond roedd o'n fwy na deryn y to. Bydd rhaid i mi ymchwilio. Ond rhaid i mi wneud nodyn, neu fydda i wedi anghofio. Dwi wedi colli fy llyfr nodiadau adar.

Ro'n i'n gwybod y bydda fo'n digwydd! Mae Megan wedi cael cariad. Peth ydi, mae o'n *extremist*! Mae 'na le yn mynd i fod yn ein tŷ ni rŵan. Hogyn o Dre ydi o – Moi ydi'i enw fo. Yn lle mynd ar ddêt a mynd i'r pictwrs neu am dro, maen nhw'n mynd yng nghar ffrind Moi ac yn mynd i beintio arwyddion. Hi hi!

Tasa Dad yn gwybod, mi fydda fo'n ei ladd hi. Wel, mae hynny'n or-ddeud, ond fasa fo ddim yn hapus. Yn yr ardd roeddan ni, a dyma Megan yn gofyn, "Ti isio clywad cyfrinach?" Fydd hi byth yn deud hynna fel arfer – fi sydd yn gorfod canfod ei chyfrinachau bob tro. Fuodd yn rhaid i mi fynd ar fy llw na fyddwn i'n deud wrth neb arall, felly dim ond sgwennu'r gyfrinach fedra i 'i wneud. Dydi hynny ddim 'run peth â dweud.

Y gyfrinach ydi fod Megan, fy chwaer, wedi bod yn *peintio arwyddion*. Roeddwn i'n methu credu 'nghlustiau. *Waw*. Mam bach.

Yn syth, ro'n i eisiau gwybod lle, sut, efo pwy, pryd ... ac mi ddeudodd hi, ac roedd o i gyd yn gynhyrfus iawn *iawn* ...

A'r peth *mwya* cynhyrfus ydi fod Megan a finna'n rhannu cyfrinach rŵan, ac nad oes gan Dad na Mam ddim clem beth ydi hi. Weithiau, rydan ni'n sbio ar ein gilydd amser bwyd, ac rydan ni'n dau'n gwybod ein bod yn meddwl am yr un peth, ond dydyn nhw ddim. Dydw i erioed wedi rhannu cyfrinach efo Megan o'r blaen, yn enwedig rhywbeth mawr fel hyn. Dwi'n meddwl ei bod hi wedi deud wrtha i am i mi ddeud ei bod yn ddewr pan gollodd hi ei swydd. Mi dalodd hynny ar ei ganfed.

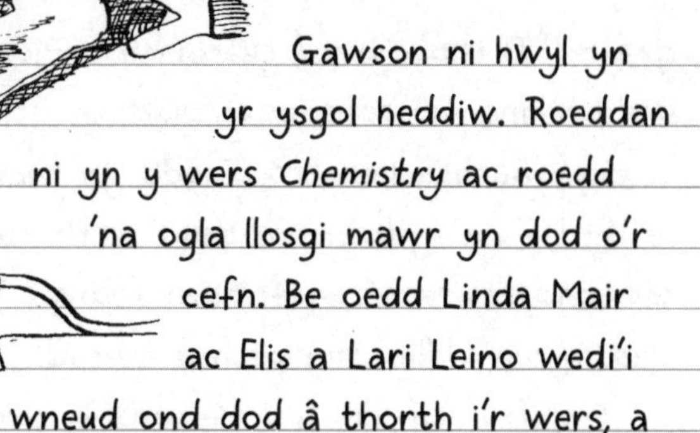

Gawson ni hwyl yn yr ysgol heddiw. Roeddan ni yn y wers *Chemistry* ac roedd 'na ogla llosgi mawr yn dod o'r cefn. Be oedd Linda Mair ac Elis a Lari Leino wedi'i wneud ond dod â thorth i'r wers, a thrio gwneud tost efo *gauze* a *bunsen burner!* Roedd ganddyn nhw bot o jam hefyd, ac yn rhannu tost â phawb yn y dosbarth, ond daeth Giaman i wybod y gwir a mynd yn honco.

Pan fydd pethau fel hyn yn digwydd, mi fydda i'n sbio yn slei ar Alys Mai. Mi wneith hi chwerthin, ond rywsut, tydi byth, *byth* yn mynd i drwbwl. Roedd pawb yn eu dyblau'n chwerthin yn y diwedd.

"What's this, boy?" gofynnodd Giaman wrth Lari Leino.

"Tost, syr,"

"And what lesson is this?"

Doedd Lari Leino ddim fel tasa fo'n cofio.

"Chem, syr," medda Linda Mair yn sydyn.

"Dwi ddim isio gweld neb – *neb* yn gwneud y fath beth mewn *Chemistry lesson* eto. If I catch a single one of you misbehaving again, you'll go straight to the Headmaster."

Mae Giaman wedi mynd i ben y craitsh. Dwi'n lecio pan mae hynny'n digwydd. Mae 'na eiliad fach pan nad ydach chi'n siŵr iawn pa ochr sy ar y blaen. Yna, mae un o'r dosbarth yn cael y gigls, ac mae'r athro'n gwybod wedyn nad oes ganddo obaith caneri o adfer trefn. Mae'r cwbwl lot yn toddi yn un jeli mawr joli, ac mae *anhrefn* yn teyrnasu – hi hi ho ho ha ha. Does dim posib callio, hyd yn oed tasan ni eisiau gwneud, achos rydan ni i gyd yn glana chwerthin.

Mae o fel da-da. Dydi o ddim yn para am yn hir, ond ew, tra mae o'n para, does 'na ddim byd gwell. Mae pob dim yn mynd yn ddifrifol pan ddaw athro arall i'r dosbarth i roi ffrae, neu pan mae pen y prifathro'n ymddangos, neu pan mae'r athro'i hun yn ei cholli'n llwyr, a jest yn ei miglo hi allan o'r dosbarth.

Beth bynnag, be ydi'r ots ein bod ni wedi gwneud dipyn o dost? Mae dysgu gwneud tost yn rhywbeth mil gwaith amgenach na dysgu am y *Periodic Table*...

Ymarfer parti canu – eto fyth. Mae o wedi stopio bod yn hwyl bellach. Rydan ni'n dechrau mynd yn brin o amser, ac maen nhw'n meddwl nad ydan ni'n ddigon da, neu dyna farn Meri Miwsig, beth bynnag. Dwi'n meddwl ein bod ni'n canu'n wych.

Mae un hogyn, y lleiaf yn y parti, yn gwneud un rhan ar ei ben ei hun. Dydi o ddim yn gorfod canu na dim byd, jest sefyll yno'n edrych yn ddigalon, tra mae'r gweddill ohonom yn canu,

"O! na chawn i fynd ar f'union
Dros y môr a hwylio'n ôl
i G'narfon."

Taswn i'n rhywun mewn oed, faswn i'n crio wrth edrych ar Ger Bach yn sbio'n dorcalonnus fel 'na. Dyna obaith Meri Miwsig hefyd. Mae gennym siawns go lew, dwi'n meddwl, ond fel mae hi'n ddeud, "Rydan ni'n trio yn erbyn hufen y genedl."

Mae Pritch, boi *History*, wedi dechrau mynd yn frwd iawn am yr *Investiture*. Maen nhw am roi'r teitl Prince of Wales i fab y Frenhines, ac yn G'narfon fydd o i gyd yn digwydd. A 'mond yn G'narfon, ddim yn nunlla arall. Mi dreuliodd Pritch wers gyfan heddiw yn rhoi hanes y brenin 'na ers talwm, *King Edward I* oedd ei enw fo, oedd o'n anhygoel o bell yn ôl, yn syth ar ôl y Romans (yn Segontium oedd rheini). Fo oedd y cynta i gael *Investiture* yn y castall. Ar ei ôl o gafodd ein stryd ni ei henwi (er nad ydi'r stryd mor hen â hynny). Fo gododd y castall, dwi'n meddwl – os nad ydw i wedi drysu. Sais oedd o, a Llywelyn oedd ein brenin ni. Fuodd 'na goblyn o ffeit ddim yn bell o Sowth Wêls, ac mi gafodd Llywelyn ei ddal gan y Saeson, ac mi ddaru nhw ei *stabio* fo. Fel tasa hynna ddim yn ddigon, dorron nhw ben Llywelyn – jest i ddangos pwy oedd y bòs, a'i sticio fo ar Tower

Bridge yn Llundain, fel rhybudd, debyg, rhag ofn i rywun arall drio yr un gêm. Jaman.

Doedd gan y Cymry neb i fod yn frenin wedyn, a dyna pam mai Llywelyn ein Llyw Ola rydan ni'n galw Llywelyn. Llyw ydi fatha Arweinydd. Adeg honno gafodd Edward syniad am dric da. Rhaid ei fod o'n meddwl nad oedd fawr yn ein pennau ni'r Cymry. Ar ôl iddo fo godi'r castall yn G'narfon, wnaeth o ddangos ei fabi bach i bobl Dre a deud, "This will be your Prince". Fatha mai dim ond eisiau rhyw fabi oeddan ni, dim ots pwy. Ers y busnes yna, *Prince of Wales* maen nhw'n galw mab hyna'r brenin.

Felly mi fydd yr *Investiture* yn G'narfon fis Gorffennaf yn rhywbeth hanesyddol go iawn. Ro'n i'n reit falch ohonof fi fy hun am wrando cymaint ar y wers *History*, a dyma fi'n adrodd y cwbwl i Mam a Megan. Ddeudodd y ddwy nad oeddan nhw 'rioed wedi clywed y fath lol. *Non-intellectual* ydi'r enw am bobl felly, pobl sydd ddim eisiau dysgu. Ddangosais i'r llun oedd yn y llyfr *History* fel prawf.

"Dwi'm yn gwadu ei fod o wedi digwydd," medda Mam, "ond roedd o'n dric gwael y tro cynta – heb sôn am ei wneud o eto." Gafodd 'run peth ei wneud tua dechra y ganrif cyn dwytha.

"Doedd o ddim yn iawn adag yna, a dydi o'm yn iawn rŵan," medda Moi. Doedd neb wedi gofyn am ei farn o. Newydd ddechrau dod i'n tŷ ni mae o, ac mae pawb yn ei drin o fel tasa fo'n rhan o'r teulu.

"Be ydi'r pwynt gwneud rhywun yn Dywysog Cymru, os mai Llywelyn oedd yr olaf?" gofynnodd Megan.

"O leia mae o'n rhoi sylw i Gymru. Mae pawb am glywed am y Prins of Wales," atebais, yn teimlo 'mod i'n colli'r ddadl.

"Grêt ..." medda Megan yn wamal.

"Dwi'm yn meddwl bod angen tywysog arnon ni, Cymro neu Sais" medda Mam a mynd i roi dillad ar y lein.

Es i am dro wedyn, a dod i'r casgliad ei fod o'n syniad gwirion wedi'r cwbwl. Rhoi coron ar ben dyn a deud ei fod o'n fòs ar bawb arall, ac wedyn os oedd rhywun yn anghytuno, cael rhyfel yn eu herbyn, a llwyth yn cael eu lladd. Roedd y peth yn wirion bost.

Ddeudais i hyn wrth Tomi yn yr ysgol diwrnod wedyn, ond doedd o ddim yn cytuno.

"Mae'n rhaid i chdi gael rhywun yn frenin neu frenhines, siŵr iawn!"

"Pam?"

"Llun pwy fasat ti'n ei roi ar stampiau a phres wedyn?"

'Nes i ddim meddwl am hynna.

PENNOD 8

Ddigwyddodd rhywbeth digri yn *Maths* heddiw. Rydan ni o hyd yn pasio negeseuon i'n gilydd, unwaith mae'r athro wedi troi'i gefn. Mae hi'n grefft rydan ni'n giamstars arni. Yr unig beth ydi bod rhai'n fwy o giamstars nag eraill. Elis oedd i fod i'w phasio i Lari ond ddaru o ollwng y papur ar lawr. Mi sylwodd Jôs Maths a'i ddarllen allan yn uchel:

"'If you love me, tick here.' Oes gan hwn rwbath i'w wneud efo'r wers yma, Elis Parry?"

Cochodd Elis hyd at fôn ei glustiau, ac roedd y dosbarth i gyd yn glana chwerthin.

Roedd Jôs Maths yn lecio'r sylw. "Dwi'n cymryd nad fi oedd i fod i gael y nodyn?" gofynnodd.

"Y – naci, syr ..."

"Mi cadwa i o am rŵan, a gewch chi o'n ôl ar ddiwedd y wers. Right, the fun is over, we'll carry on with the lesson."

Ond ers hynny, rydan ni wedi bedyddio Elis yn 'Romeo' ac wrth gwrs mae hynny'n ei wneud yn bananas.

Ar ôl ysgol heddiw, roedd gen i lwyth o waith cartra', a doedd gen i ddim mynadd i'w wneud o gwbwl. 'Nes i drio, ond doeddwn i ddim yn deall y cwestiwn, heb sôn am drio'i ateb. '*Problems*' oeddan nhw, a phroblem fyddan nhw. Fedra i mo'u datrys. 'Nes i anobeithio a theimlo'n ddigalon, felly 'nes i be dwi'n ei wneud bob tro pan dwi'n teimlo felly – es i am dro ar fy meic. Munud dwi ar fy meic, dwi'n symud ar gyflymder gwahanol, ac mae jest teimlo'r gwynt ar fy wyneb yn codi 'nghalon. Es i heibio'r Cei Llechi, a lawr tuag at garej Gwyndaf. Gwyndaf ydi taid Tudur, ac mae o'n hen foi iawn. Er ei fod o'n hen, mae o'n dal i weithio efo brawd Tudur, ac mae o'n fecanic siort ora'. Ato fo fydda i'n mynd pan dwi eisiau trwsio unrhyw beth. Dydi Gwyndaf 'rioed

wedi methu trwsio ddim byd.

Steddais i lawr ar hen gan petrol, a gwylio Gwyndaf yn stwna mewn perfedd car.

"Be dach chi'n ei ddysgu mewn gwersi hanas y dyddia yma, Robat?" medda fo, gan dynnu peipan go fawr o'r tu blaen.

"Hanas Edward *the first* a sut wnaeth o godi'r castall," atebais, "a'r busnes *Investiture* 'ma – hyd syrffad."

"Ia, ro'n i'n amau mai i hynny fasa hi'n dod. Mae isio gras."

Am ei fod o mor hen, mae Gwyndaf yn cofio mwy na'r rhan fwyaf o bobl. Mae o wedi byw drwy'r rhan fwyaf o hanes sydd 'na, felly tydi o ddim rhyfedd bod o'n gallu ei gofio.

"Mae o'n beth reit *ecseiting* i ddigwydd yma tydi?" meddwn i.

"*Cynhyrfus* wyt ti'n ei feddwl – gwylia dy Gymraeg."

Dyna'r unig beth sy'n mynd ar fy nerfau i braidd efo Gwyndaf. Tydi o ddim yn lecio geiriau

Saesneg yng nghanol brawddegau, ac mae o'n fy nghywiro byth a beunydd.

"Mae 'na bethau cynhyrfus eraill wedi digwydd yn y dref 'ma ..." medda fo, "ond wnawn nhw byth sôn amdanyn nhw mewn gwersi hanas."

"Fatha be?"

"Achos Tri yr Ysgol Fomio – chlywaist ti 'rioed am hwnnw, debyg?"

A thra oedd o'n rwbio darnau o'r injan, dyma fo'n dechrau deud yr hanes. Sôn nad oedd rhai Cymry am weld codi ysgol fomio tua Pwllheli ffor'na. Roeddan nhw wedi trio cael y llywodraeth i newid eu meddwl, ond gwrthod gwrando ddaru nhw, a dechrau adeiladu'r ysgol fomio.

"Be ddigwyddodd wedyn?" holais, yn glustiau i gyd.

"Ddaru'r tri dyn ei rhoi ar dân."

"Iesgob. Tân go iawn? Gawson nhw eu dal?"

"Ddaru nhw gerddad i swyddfa'r heddlu a chyfadda mai nhw ddaru. Yma, yn G'narfon, oedd yr achos llys."

Holais pam oedd angen achos llys os oeddan nhw wedi cyfaddef eu bod yn euog, ond eglurodd Gwyndaf fod yn rhaid i lys *brofi* eu bod nhw'n euog. Wnaeth o egluro beth oedd rheithgor – fod deuddeg o bobl leol yn gorfod gwrando ar yr achos, ac mai nhw sy'n gwneud y penderfyniad.

"A be oedd y penderfyniad?" gofynnais. Roedd Gwyndaf wedi creu darlun mor fyw, fel ro'n i'n gallu gweld y cyfan yn digwydd yn fy meddwl.

"Doedd y rheithgor ddim yn gallu cytuno – dyna i ti glec i'r erlyniad. Ro'n i o flaen y llys fy hun ar y diwrnod. Aeth y lle'n wallgof, a dyma pawb yn dechra bloeddio canu 'Hen Wlad fy Nhadau'."

"Felly gawson nhw fynd yn rhydd?"

"Naddo, dydi petha byth yn gweithio fel 'na. Mae'r *drefn* yn dy ddal di ryw ffordd neu'i gilydd. Mi benderfynwyd cael ail achos, er mwyn gwneud yn siŵr na fyddan nhw'n mynd yn rhydd, a ddim yn G'narfon y tro hwn. Cafodd yr ail achos ei gynnal yn Llundain – yn yr Old Bailey."

"Be ddigwyddodd yn fan'no?"

"Roeddan nhw'n euog, wrth gwrs. Ac mi gafodd y tri ddedfryd o naw mis o garchar – mewn carchar yn Llundain."

"Braidd yn annheg eu gyrru nhw yr holl ffordd i Lundain ..." meddwn.

"Hollol annheg – ac mi ddaru nhw fynd ymlaen

a chodi'r ysgol fomio."

"Bechod."

"Ond dyna oedd cychwyn Plaid Cymru i bob pwrpas. Wylltiodd pobl gymaint efo'r achos hwnnw fel eu bod nhw'n fodlon ymuno efo Plaid Cymru."

"Llafur ydi teulu ni. Mae Dad yn deud na wneith o byth newid. 'Dyn undeb' ydi o."

"Ac mae o i'w edmygu am hynny. Megan yn dechrau dangos ei lliwia hefyd, tydi?"

"Hmm – ac mae plant yn dechrau fy ngalw i'n *Welsh Nash* erbyn hyn."

"Hitia befo amdanyn nhw. Cofia am dri yr ysgol fomio, a bydd yn falch o hynny."

"Chlywais i 'rioed mo'r hanas yna o'r blaen," medda fi. Ro'n i wedi meddwl mai peth *boring* oedd hanes Cymru.

"Mae o'n bwysig nad ydi'r ysgol yn dysgu petha felly i bobl ifanc – mae o'n creu extremists," medda Gwyndaf efo gwên.

"Ond hanas ydi o 'run fath, 'te?" mynnais.

"Ia – ond dydi o ddim yn rhan o'u lesyns *History* nhw ..."

Es i o garej Gwyndaf a miloedd o bethau'n

rhuthro drwy 'mhen. Lle bach oedd y garej, ond roedd o fel ogof Ali Baba – doedd wybod be fasach chi'n dod ar ei draws yno. Ddeudais i wrth Tudur ei fod o'n lwcus yn cael dyn felly yn daid.

"Tydi o dragwyddol yn mwydro'i ben am betha sy'n digwydd ers talwm? Mi fydda i'n deud wrtho fo weithia am gofio mai rŵan mae o'n byw! Ond ti'n iawn, mae o fel llyfr straeon.
Hanas be gest ti ganddo fo tro 'ma?"

"Y bobl ddaru roi rhyw le ym Mhwllheli ar dân ..."

"Tri Penyberth?"

"Ddim dyna oedd o'n eu galw nhw. Ysgol fomio gafodd ei llosgi, ac aethon nhw i'r Old Bailey ..."

"Ia, ond fel 'Tri Penyberth' maen nhw'n cael eu cofio. Saunders Lewis, Lewis Valentine a D. J. Williams, hynny ydi."

"Be – ydyn nhw'n dal i fod yn fyw?" holais, a hynny wedi fy synnu'n fwy na dim byd.

Chwarddodd Tudur, "Wrth gwrs eu bod nhw'n fyw – ond eu bod nhw'n hen ddynion."

Da ydi hen bobl weithiau. Maen nhw'n edrych fel tasan nhw'n methu gwneud dim byd, a bod nhw bron â datod. Ond unwaith rydach chi'n clywed rhai o'u hanesion, mae o'n gwbwl ffantastig.

Ddigwyddodd peth da ar ôl i mi gyrraedd adra – er nad oedd o'n fymryn o help i ateb y *Problems*. Ro'n i'n trio dod o hyd i ryw lyfrau yn fy llofft, a be ffeindiais wedi disgyn y tu ôl i'r silffoedd ond y llyfr nodiadau adar. Da, 'de? Ro'n i wrth fy modd. Weithiau, mae hi'n werth colli rhywbeth er mwyn y teimlad braf o'i ffeindio unwaith eto.

PENNOD 9

Amser cinio heddiw roedd 'na datws, sosej a *cabaij*. Dwi'n casáu cabaij yn fwy na dim byd arall yn y byd. A be sy'n waeth, maen nhw yn ein gorfodi i'w fwyta. Mae 'nghalon i'n suddo pan glywaf yr ogla yn y cantîn, a fedra i ddim cael gwared ohono fo wedyn. Wn i ddim pwy ddaru wneud y camgymeriad o feddwl ei fod o'n fwytadwy yn y lle cynta. Ych a fi.

'Nes i orfod ei adael ar y plât yn y diwedd. Wil ddechreuodd y trwbwl. Doedd o ddim eisiau'i datws, a dyma fo'n dechrau eu fflicio ata i. Dyma fi'n fflicio'r cabaij ato fo. Yn y diwedd, roedd pawb yn lluchio tatws at ei gilydd, ac aeth hi'n dipyn o lanast. Wnaeth Jason fflicio'i datws o, ac mi aeth ar wallt Delyth Topia. Roeddan ni o flaen y Prif Gopyn wedyn. Chawn ni ddim mynd i'r cantîn am weddill yr wythnos. Fuodd yn rhaid i ni sgwennu can llinell: *I must not throw food in the canteen.* Ddaru Jason ddim gwrando ac mi sgwennodd, *I must not flick potatoes at children in the canteen,* oedd yn llawer hirach, wrth gwrs. Rwdlyn.

I must not flick potatoes at children
I must not flick potatoes at children
I must not flick potatoes at children
I must not flik potatos at children

Un bore, dyma Megan yn curo ar ddrws y stafell molchi a ges i sioc ei bod hi wedi codi. Dydi hi byth yn codi'n gynnar os nad oes raid.

"Dwi isio gair efo ti," medda hi.

Lolian yn y stafell molchi oeddwn i – wedi rhoi past dannedd ar y drych i wneud o edrych fel mwstásh, ac ro'n i'n teimlo'n wirion. Dwi'n cael boreau felly – codi ac yn teimlo'n hollol wallgof. Roedd llais Megan yn swnio'n ddifrifol.

"Be sydd?" gofynnais yn betrusgar.

"Fedra i ddim gweiddi – dos i dy stafell."

Meddyliais be ro'n i wedi'i wneud rŵan i droi'r drol.

Agorais y drws a gweld golwg fel tramp ar Megan.

"Be sy'n bod arnach chdi?" holais.

Rhoddodd hi olwg fudr arna i – yn amlwg ro'n i wedi deud y peth anghywir. Pan oeddan ni yn fy stafell i, caeodd Megan y drws a deud ei bod angen ffafr gen i. Dydi hyn *byth* yn digwydd.

"Fuon ni allan yn peintio neithiwr," medda hi, "a dwi isio i ti guddio dipyn o frwshys yn dy stafell."

"Be?"

Roedd hyn yn stwff peryg.

"Pam?"

"Roedd Wmffra'n methu eu cadw gan mai car ei dad o oedd o, felly ddeudais i y baswn yn eu cymryd. Mae 'na bot o baent hefyd."

"Pam gofyn i fi?"

"Fasa Mam byth yn eu ffeindio yn fan hyn – ma 'na ffasiwn lanast yma."

Mae ganddi bwynt yn fan'na. Un peth am Megan, mae ei stafell fel pin mewn papur. Wn i ddim sut mae hi'n ei wneud o. Peth genod ydi o, falla.

"Ar un amod," meddwn i'n sydyn, yn gweld fy nghyfle. "Y caf i ddod efo chi tro nesa fyddwch chi'n peintio."

"Paid â bod yn wirion – ti'n rhy ifanc."

"Nid fy mai i ydi o pryd ges i fy ngeni!" Lein handi ydi honna.

"Fasa Mam a Dad yn fy lladd i!"

"Cadwa dy frwshys 'ta."

Cerddodd Megan allan a chlepio'r drws ynghau, ond roedd hi'n amlwg mewn picil, achos mewn chwinicad roedd hi'n ei hôl.

"Ocê 'ta," medda hi, "ond mi fydd yn rhaid i mi siarad efo'r lleill yn gynta. Ti'n rhy ifanc o beth coblyn."

"Dwi'n ddigon hen i gadw dy frwshys di," atebais. "Faint o ffrae faswn i'n ei chael tasa Mam yn eu ffeindio nhw?"

"Fyddat ti ddim yn ffeindio'r *crown jewels* yn y llanast yna," medda hi, gan basio'r pecyn mewn papur newydd i mi.

Edrychais arno. Roedd o fel pecyn *chips* i ryw bymtheg o bobl.

"Ych ... mae'n drewi, Meg!"

"Be wyt ti'n ei ddisgwyl ar frwshys ond ogla paent? Hwda, mae hwn hefyd."

Rhoddodd dun i mi mewn bag plastig a phaent dros hwnnw hefyd.

"Ac – os dwi'n gwrthod?"

"Wna i byth siarad efo chdi eto – a dwi'n ei feddwl o," hisiodd hi fel neidr. Mi fydda Megan yn gwneud neidr dda, ond dydi hi ddim yn ddigon tenau. Mae hi'n gallu bod yn hen gnawas go iawn weithiau.

Ond tu mewn, ro'n i'n teimlo'n dipyn o larts. 'Run fath â baswn i wedi fy newis i fod mewn giang go arbennig. Fi – Robert Aneurin – yn rhan o'r chwyldro! Be fyddan nhw'n ei ddeud yn yr ysgol? Mae'n siŵr mai teimlad fel hyn mae rhywun yn ei gael wrth ymuno â chriw o fôr-ladron. Gwybod bod yr hyn a wnewch yn ddrwg, ond ei wneud o 'run fath.

Tynnais y 'nialwch o'r wardrob a rhoi y paent yn fan'no. Ond cyn cuddio'r brwshys, dyma fi'n agor y papur. Roedd y papur wedi glynu at y brwshys, ac roedd golwg ofnadwy arnyn nhw. Ond syllais arnyn nhw'n gegrwth. Ar ôl clywed cymaint am yr ymgyrch peintio arwyddion, ac ar ôl gweld arwyddion wedi'u peintio – dyma fi rŵan yn edrych ar frwshys oedd wedi'u defnyddio i'r union ddiben hwnnw.

Ac mewn dipyn, ro'n i am fod yn rhan o'r ymgyrch ryfeddol hon!

'Nes i ddim sylwi nes i mi gyrraedd yr ysgol. A dweud y gwir, 'nes i ddim sylwi nes i Tomi dynnu fy sylw ato.

"Mae gen ti rwbath ar dy 'winadd, Robert."

"Nag oes, does gen i ddim."

"Oes, mae gen ti *nail varnish.*"

"Paid â siarad yn hurt."

"Sbia arnyn nhw, crinc!"

A dyma fi'n sbio. Roedd tri o fy ewinedd yn wyrdd. *O na ... meddwl am rwbath ... meddwl yn sydyn ...*

"'Mond problam sydd gen i ydi o ... paid â deud wrth neb ..."

"Be, gwisgo colur? Hogan wyt ti?"

"Salwch ydi o."

Roedd llygaid Tomi fel soseri.

Gostyngais fy llais. "Dwi wedi bod at y doctor ... maen nhw'n wyrdd am fod o'n dangos diffyg, fatha, ym, diffyg fitamins ... am nad ydw i'n bwyta digon o ... ym ... lysiau gwyrdd."

Ro'n i jest yn gadael i'r pethau mwya gwirion ddod allan o 'ngheg i, a chlywais Tomi yn chwerthin dros bob man. "Mae Robat Aneurin yn peintio'i 'winadd!"

Sefais yn stond, ac yna rhuthro i'r lle chwech. Rhoddais fy llaw o dan y tap a dechrau rwbio fel peth gwirion, ond wnaethai'r paent ddim diflannu.

Dyna natur paent, siŵr o fod. Dyna pam maen nhw'n ei roi ar arwyddion – am nad ydi o'n dod i ffwrdd. Ro'n i'n galw Megan yn bob enw dan haul.

O'i grafu – yn boenus o araf – roedd rhywfaint ohono'n dod i ffwrdd, ond ro'n i wedi bod yn y lle chwech am ormod o amser. Yn y diwedd, cerddais yn ôl i'r dosbarth ac aeth pawb yn ddistaw.

"Sori, syr."

Wnaeth Spragan ddim deud dim byd, dim ond fy ngwylio'n cerdded yn ôl i fy sedd. Mae'n cymryd oes i'w chyrraedd yn y tawelwch llethol, a llygaid y gwdihŵ wirion 'na'n hoelio'u holl sylw arna i. Pethau creulon ydi athrawon.

"Cymrwch eich amser, Robert."

Y *gwdihŵ* ddiawl ...

"Sori, syr," medda fy ngheg eto, er nad o'n i eisiau dweud hynny.

"Ydi hyn yn arferiad gennych chi, Robert Aneurin," holodd Spragan wedyn, "i ruthro allan yng nghanol gwers?"

"Eisiau mynd i'r lle chwech ro'n i, syr – ar

frys."

"Fe sylwon ni ar hynny, Robert."

Ac wrth gwrs, mi chwarddodd pawb ar fy mhen. Mae ysgol yn gallu bod yn lle cwbwl ddidrugaredd weithiau.

PENNOD 10

Roedd Megan wedi fy rhybuddio mai nos Fawrth fyddai'r noson peintio arwyddion. Yr esgus i Dad a Mam oedd fod Megan a Moi am roi lifft i mi i Dre a'u bod am brynu *chips* i mi. Roeddan nhw am fynd â mi efo nhw i'r pictwrs wedyn i wylio rhyw ffilm *western* hefo John Wayne ynddi.

"Peth clên iawn i'w wneud," oedd ymateb Mam. "Doeddwn i ddim yn meddwl bod Moi a tithau'n tynnu 'mlaen gymaint â hynny."

"Hen hogyn siort ora' ydw i, 'te? Does gen i ddim clem be mae o'n ei weld yn Megan chwaith," meddwn.

"Wel, os ydi o'n gallu ei thrin hi, dwi'n tynnu fy het iddo. Mae o'n gwneud rhwbath na fedra i!" medda hi, gan gadw'r neges siopa. Trodd at Dad. "Mae'n beth da eu bod nhw'n mynd allan efo'i gilydd, tydi, Em?"

"Da iawn," atebodd Dad tu ôl i'w bapur, heb y syniad lleiaf beth oedd ei wraig wedi'i ddeud.

Wn i ddim beth mae Dad yn ei weld mor ddiddorol yn y papur. Mi wnaiff o eistedd i lawr ar ôl bwyd a throi'n syth at y papur fel tasa

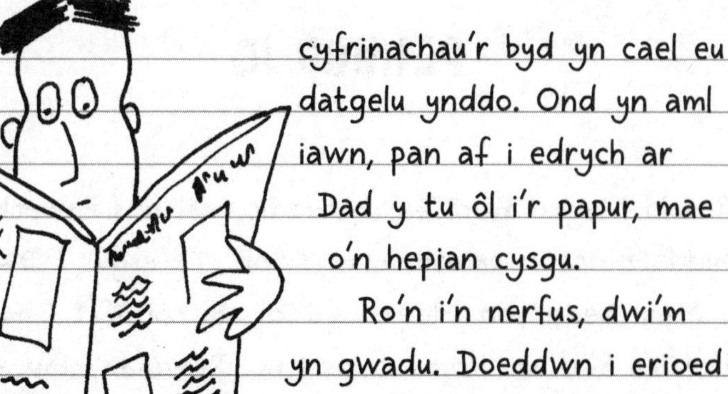

cyfrinachau'r byd yn cael eu datgelu ynddo. Ond yn aml iawn, pan af i edrych ar Dad y tu ôl i'r papur, mae o'n hepian cysgu.

Ro'n i'n nerfus, dwi'm yn gwadu. Doeddwn i erioed wedi gwneud rhywbeth drwg go iawn yn fy mywyd – dim byd a fyddai'n peri i mi fynd i drwbwl efo'r heddlu. Yn rhyfedd, be o'n i'n ei ofni fwyaf oedd gwneud rhywbeth o'i le, a'r lleill yn edrych i lawr arna i, ac yn beio'u hunain am fy ngadael i ddod hefo nhw.

"*Chips?*" medda Moi, mewn hwylia da, a dyma fynd i lawr i Mamies a bwyta'r bwyd gorau yn y byd.

Pan fydda i'n ddyn, wna i ddim trafferthu cwcio i mi fy hun, dim ond bwyta *chips* bob nos. Prynodd Moi 'sgodyn i mi hefyd, ac mae 'sgodyn mewn *batter* y peth gorau fedra i feddwl amdano. Mae rhywbeth hudol am flas y croen aur sy'n felys wrth i mi roi 'nannedd ynddo. Saim y croen a meddalwch y 'sgodyn efo'i gilydd – mae o'n fendigedig, a digon o finag, wrth gwrs.

Ddeudodd Moi ein bod am fynd i gyfeiriad Bangor, a hynny am fod yna arwydd ffordd yno sydd wedi bod yn dân ar ei groen ers tro byd – Port Dinorwic. Rydan ni'n codi rhyw hogan ddiarth o'r enw Elen, ffrind Moi, ar y ffordd, ac mae'n dod i eistedd yn y cefn wrth fy ochr.

Wn i ddim be sydd mor ofnadwy am 'Port Dinorwic'. I mi, mae o'n swnio'n hollol Gymraeg. 'Roberts of Port Dinorwic' ydi'r bobl sy'n gwerthu'r bei *steak and kidney* orau yn y byd. Ond dyma fi'n meddwl y basa'n well i mi holi beth oedd yr enw Cymraeg.

"Y Felinheli," atebodd Megan yn sydyn, fel tasa fo'n rhywbeth y dylai pawb wybod. "Aros di yn y car, reit?" medda hi wrtha i mewn llais llym. Roedd hynny'n fy siwtio i'n iawn, gan fod fy nghoesau fel jeli.

"Paid â bod yn ddiflas," medda Elen. "Diawch, fasa gen i fwy o ofn mewn car tywyll ar fy mhen fy hun." Trodd ataf. "Gei di fod ar y *look* out efo fi, iawn, mêt?" a rhoi winc i mi.

Wyddwn i ddim a ddylwn i wincio'n ôl arni mewn cytundeb. Ro'n i'n difaru fy enaid 'mod i wedi dod yn rhan o hyn, ac yn waeth byth, *wedi mynnu* bod yn rhan ohono.

Mwya sydyn, roedd y car wedi aros ar ochr y lôn, a phawb wedi mynd allan, fel tasan nhw'n gwybod yn union beth i'w wneud, er nad oedd neb yn dweud wrthyn nhw.

Roedd yr arwydd o'n blaenau yn anferth a chadarn ac uchel yn y gwyll, ac fel deudodd Megan, mi fyddai angen jiráff i'w gyrraedd. "Dos ar fy 'sgwyddau," sibrydodd Moi wrth Megan, ac o wneud hynny, roedd modd cyrraedd yr arwydd, jest bod Megan wedi anghofio'r brwsh. Roedd o ar lawr yng nghanol y tywyllwch yn

rhywle, a neb yn gallu dod o hyd iddo. Cynhyrfu ddaru mi, ac ymbalfalu'n y gwair, ond cafodd y gweddill ffit o gigls. Mwya sydyn, dyma fi'n teimlo coes y brwsh.

"Dyma fo!" gwaeddais, gan anghofio bod yn dawel.

"Ti'n angel – wyt, mi wyt ti," medda Elen, gan basio'r brwsh i Megan. Wedyn, roedd rhaid i Elen agor caead y tun paent.

"Cadwa lygad am y *cops*, iawn boi?" medda Moi. "Mae hi'n ffordd brysur."

Roedd digon o geir yn mynd a dod, a da hynny, achos dim ond yng ngolau'r ceir y gallai Elen weld caead y tun. Ar ôl iddi'i agor, fe'i daliodd i Megan allu dechrau peintio. Synnu eu bod yn chwerthin cymaint roeddwn i, wrth wneud joban mor ddifrifol. Roeddan nhw'n chwerthin yn waeth ar ôl i baent gael ei golli ar drwyn Elen.

"Bydd yn fwy gofalus, Megan, neu mi fydd mwy o baent arna i nac ar yr arwydd!"

Edrychais ar yr arwydd, ac ar 'Port Dinorwic' yn diflannu'n raddol o dan y paent. Ro'n i'n dyst i rywbeth pwysig iawn yn hanes Cymru. Mewn blynyddoedd, byddai pobl yn cofio hyn. Tasa'r plant yn yr ysgol 'mond yn fy ngweld i'r funud honno!

Yn gwbwl annisgwyl, newidiodd golau'r ceir a daeth fflach o olau llachar arnom, 'nôl a 'mlaen, 'nôl a 'mlaen, fel tasan ni mewn ffilm.

"Cachu buwch – cops!" gwaeddodd Moi, a dyna'r peth dwytha welais i pan afaelodd Elen yn fy llaw a gweiddi arna i. "Rhed fel y cythral, i fyny fan'na, allan o'r ffordd, a gorwedd yn fflat ar dy stumog!"

A rhedeg 'nes i – fel carlwm. I fyny, fyny, baglu a chladdu fy wyneb yn y gwair gwlyb. Doedd fiw i mi symud, ond roedd y gwair yn cosi fy nhrwyn.

Rhy hwyr. Roedd y plismyn wedi'u gweld. Gallwn glywed eu lleisiau'n glir.

"Helô, P.C. Roberts ydw i – chi ydi'r *daubers*?"

"Aelodau Cymdeithas yr Iaith ydan ni ..."

"Arhoswch – i mi gael rhoi *caution* i chi ... "I, P.C. Ieuan Roberts 623421, do *caution* you under Section 4 of the Criminal Law Act 1967.

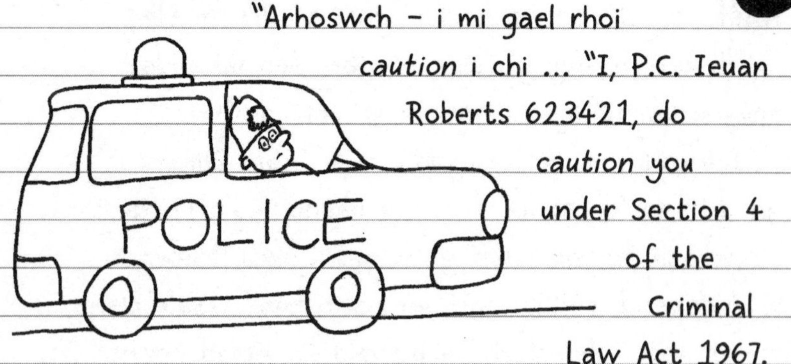

Anything you say may be taken down and used as evidence against you in court. Be ydi'ch enwau chi?"

"Megan Edwina Jones."

"Morus Ifan."

"Dewch i'r *police station* efo fi ..."

PENNOD 11

Roedd Megan wedi'i 'restio! Dyna'i diwedd hi rŵan. 'Nes i feddwl yn sydyn y dylwn i sefyll ar fy nhraed a gweiddi *cymrwch fi!* ond 'nes i wrando ar y llais arall yn fy mhen oedd yn deud, *callia'r diawl,* a dyma aros lle ro'n i. Clywais injan yn cychwyn a char yn gyrru ymaith, ac yna tawelwch. Gorweddais am amser hir iawn, iawn yn meddwl beth ddiawch ro'n i'n mynd i'w wneud nesaf? *Robert Aneurin. Ti ydi'r creadur gwirionaf dan haul,* meddyliais.

Wedyn, dyma fi'n stopio meddwl amdanaf fi fy hun, a meddwl am Megan, wedi'i chymryd i ffwrdd mewn car heddlu. Ac roedd gen i ofn, ar fy mol ar wair gwlyb ... ond cymaint mwy o ofn fasa gan Megan ... Diolch byth fod Moi efo hi.

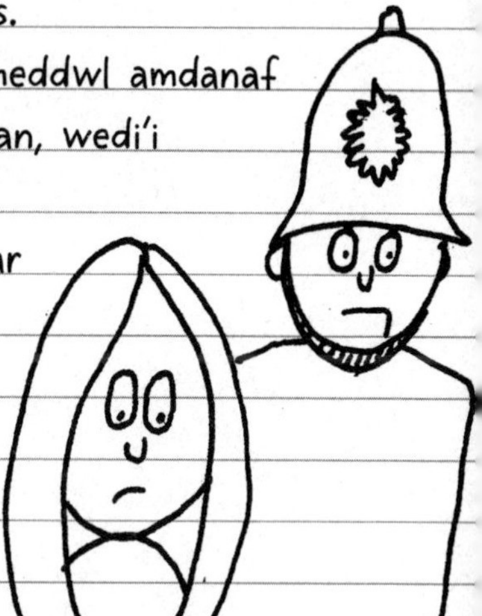

A mwya sydyn, ro'n i'n ddigalon wrth feddwl ffasiwn ffys fasa 'na yn ein tŷ ni wedi hyn, ac mi fyddwn i dros fy mhen a 'nghlustiau mewn trwbwl hefyd. Roedd helynt Megan bellach yn helynt i minnau. Ro'n i wedi stopio bod yn blentyn.

A 'nes i feddwl na fyddwn i byth eto eisiau gweld y gair 'Port Dinorwic', am ei fod wedi achosi'r fath lanast yn ein teulu ni. A phwy feddyliodd am y fath enw gwirion, a pham oedd Saeson wedi dod i'n gwlad ni erioed, a biti i Llywelyn golli'r ffeit, a be oedd yn fy 'mhen i'n dysgu am yr *Investiture* ...

"Psst ..." Roedd rhywun yno. Roeddan nhw wedi dod o hyd i mi. Cuddiais fy mhen yn fflat yn y gwair a gwasgu fy llygaid yn dynn.

"Robat ..."

Roeddan nhw'n gwybod fy enw hefyd. Meri Jeri, be o'n i'n mynd i'w wneud rŵan?

"Ti'n fyddar neu rwbath? Ateba fi! Elen sy 'ma!"

Pwy andros oedd Elen? Mentrais agor fy llygaid a throi fy mhen – Elen. Fe ddes at fy nghoed, a chofio mai ar fy ochr i oedd Elen.

Codais fy mhen rhyw fymryn. "Barod i fynd?" gofynnodd.

"Iawn," medda fi'n gwta, fel pŵdl. *I le?I le goblyn fasan ni'n mynd o fan hyn?*

"Ssh ... gafael yn fy llaw."

"Dwi'n iawn," medda fi.

"Gafael ynddi!" hisiodd yn fygythiol. A dyma wneud. Doeddwn i ddim eisiau'i help hi. Ro'n i'n berffaith abl i gerdded i lawr fy hun ... A mwya sydyn, dyma fi'n sylweddoli be oedd yn digwydd. Roedd hon, y fodan 'ma, yn fy *ffansïo!*

Tynnais fy llaw o'i llaw hi jest i'w wneud yn gwbwl amlwg. Ro'n i mewn trwbwl hyd at fy ngheseiliau, a doeddwn i ddim eisiau rhoi fy hun mewn rhagor o dwll.

"Be haru ti?" gofynnodd Elen. Nid fel hyn roedd cariadon i fod i siarad efo'i gilydd.

"Dwi'm isio ..." medda fi, wedi cael digon.

"Andros fawr, callia wnei di?" medda hi. "Os ydan ni'n smalio ein bod ni'n gariadon, rydan ni'n denu llai o sylw. Tyrd â dy law yma, y crinc.

Dydw i ddim yn trio dy demtio di."

O, mam bach. Ro'n i eisiau i'r llawr fy llyncu. Hon oedd Noson Waethaf Fy Mywyd.

"Bydd rhaid i ni feddwl beth i'w wneud rŵan. Os bydd y goriad yng nghar Moi, mae gennym obaith mynd adra."

Ac adra ro'n i eisiau mynd. Cadw fy ngheg ar gau wnes i. Ro'n i bron â chau fy llygaid hefyd. Allwn i smalio wedyn mai hunllef oedd hyn i gyd.

"Pam ti'm yn siarad?" holodd Elen, wedi iddi fod yn gyrru am dipyn. "Ti'm wedi pwdu, naddo?"

"Naddo. Mewn sioc ydw i."

Chwarddodd Elen. "Sori, dwi'n anghofio mor ifanc wyt ti. Fyddan ni'n iawn, 'sti."

"Beth am Megan?"

"Hen dro am hynny. Ond bai Moi ydi o am ddewis arwydd mor amlwg. Roedd llawar mwy o siawns i ni gael ein dal yn fan'no. Ddeudais i hynny wrtho. Cyn i ti ddeud dim, dwi'n gwybod 'mod i'n mynd i'r cyfeiriad anghywir." Doeddwn i ddim hyd yn oed wedi sylwi.

"Adra dwi isio mynd."

"Mi gawn ni chdi adra mewn chwinciad chwannan. Jest fod yn rhaid i mi fynd rownd hwn i droi'r car," medda hi, wrth yrru rownd

cylchdro. "'Sgen i ddim clem sut i fynd i *reverse* ..."

Edrychais arni mewn dychryn. Beth oedd hi'n dda tu ôl i lyw car, 'ta? Rhaid ei bod yn gallu darllen fy meddwl.

"Oes gen ti ffordd well o gyrraedd adra?" gofynnodd.

Gan na fedrwn i yrru car o gwbwl, yn ei flaen neu am yn ôl, cau 'ngheg 'nes i.

Wrth i ni gyrraedd C'narfon, gwelodd Elen arwydd 'Give Way'.

"Mae'r rhain yn fy nghorddi ... oes paent ar ôl yn y cefn?"

Ddeudais i 'run gair. Stopiodd hi'r car a bu'n stwna yn y cefn am dipyn.

"Dyma ni, y feri peth."

Clywais sŵn oedd yn dechrau dod yn gyfarwydd i mi – sŵn tun paent yn agor, a'r peth nesaf, roedd Elen wedi neidio i'r nos.

Fe'i gwyliais yn rhoi un swadan i'r arwydd efo'i brwsh, a diflannodd y geiriau Saesneg mewn chwinciad. Rhuthrodd yn ôl i'r car, a chychwyn yr injan.

"Teimlo'n well rŵan. Beth amdanat ti, Robat?" medda hi, â gwên fawr ar ei hwyneb.

Bu raid i mi wenu'n ôl. Gofynnais sut oedd hi'n gallu gwneud ei hun i afael mewn brwsh a pheintio. "Mae'n rhoi teimlad o rym i ti," medda hi. "Ac mae'n ffordd hawdd o gael gwarad o dipyn bach o Saesneg ... heb sôn ei fod o'n andros o hwyl!"

"Be ddigwyddith i Megan?"

"Mi gaiff hi a Moi eu rhyddhau yn y bora, debyg."

Bora? Be ddeuda i wrth Dad a Mam? "Fasa'n well i mi ddeud bob dim wrth Dad a Mam?"

"Ym ... ddim os nad wyt ti isio tynnu helynt i'th ben. Wyddan nhw ddim byd dy fod wedi bod efo ni. Jest deud dy fod wedi dod adra ar y bws, a bod Megan a Moi wedi'u miglo hi i rywla. Mi gaiff Megan ffonio o swyddfa'r heddlu."

Yn amlwg, doedd gan Elen mo'r syniad lleiaf faint o stŵr fasa yn ein tŷ ni. Ond roedd ganddi ei phroblemau ei hun.

"Lle fedra i *reversio*?"

Roedd gen i ddigon i feddwl amdano, ac

agorais y drws a deud 'mod i'n mynd. Sylwodd ar fy nghôt.

"Ti wedi gweld golwg arnat ti dy hun? Ti'n fwd drosot. Tyrd â hi yma, mi olcha i'r gôt i ti."

A dyna wnes i, jest gwrando arni a gwneud fel roedd hi'n ddeud. Tasa Elen wedi deud rhywbeth wrtha i, mi fyddwn wedi ufuddhau. Gadewais hi i fustachu efo'r car a throi am adra. Wrth deimlo'r awel drwy lewys fy nghrys, sylweddolais fod gen i un broblem arall – egluro i Mam lle roedd fy nghôt. Doedd milwyr Glyndŵr ddim yn gorfod meddwl am bethau fel hyn wrth ddychwelyd adra o ryfel!

Yn union fel ro'n i'n ei ddisgwyl, cefais gerydd â hanner am anghofio fy nghôt, aros allan yn hwyr, a gadael i Megan a Moi fynd eu ffordd eu hunain a 'ngadael i yn Dre. Sefyll yno 'nes i, yn deud dim, tan oedd Mam yn cael cyfle i gymryd ei hanadl. Es i i fy ngwely ond ro'n i'n methu'n lân â chysgu, a minnau ar bigau'r drain bob tro y clywn y ffôn yn canu, gan adael i Mam a Dad ddod dros y sioc ar eu pennau eu hunain.

Roedd hyn yn ddechrau rhywbeth newydd ...

PENNOD 12

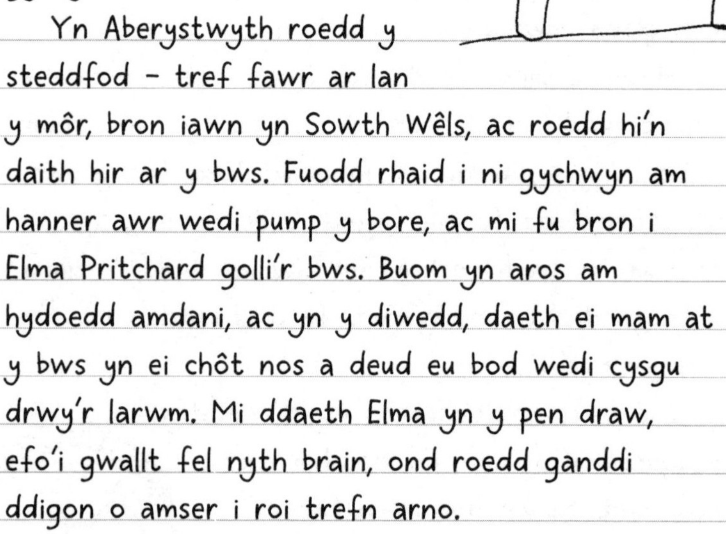

Gawson ni fynd i Eisteddfod yr Urdd, ac mae hwnnw wedi bod yn un o brofiadau mwya cyffrous fy mywyd. Pwy fasa'n meddwl y byddai perthyn i barti canu wedi arwain at rywbeth mor gynhyrfus?

Yn Aberystwyth roedd y steddfod – tref fawr ar lan y môr, bron iawn yn Sowth Wêls, ac roedd hi'n daith hir ar y bws. Fuodd rhaid i ni gychwyn am hanner awr wedi pump y bore, ac mi fu bron i Elma Pritchard golli'r bws. Buom yn aros am hydoedd amdani, ac yn y diwedd, daeth ei mam at y bws yn ei chôt nos a deud eu bod wedi cysgu drwy'r larwm. Mi ddaeth Elma yn y pen draw, efo'i gwallt fel nyth brain, ond roedd ganddi ddigon o amser i roi trefn arno.

Fues i erioed ar daith mor hir. Mae'n siŵr mai Porthmadog oedd y lle pella i mi fod cyn hynny, a chyn pen dim, roedd y criw ohonom oedd yn eistedd yn y cefn wedi dechrau canu. Fan'no roeddan ni'n ei morio hi pan wylltiodd Meri Miwsig, a deud y byddan ni'n gryg cyn cyrraedd Dolgellau tasan ni'n dal ati. Jero gafodd y syniad. Roedd o am i bawb yn y sedd gefn droi rownd a syllu ar y dyn oedd yn gyrru'r car y tu ôl i ni. Pan ddaru Lari dynnu tafod arno, dyma fo'n dechrau edrych yn hyll arnom. Doedd gan Gonc Welsh a Meri Miwsig ddim syniad be roeddan ni'n ei wneud. Mi geisiodd y gyrrwr basio'r bws, ond mi fethodd, ac wrth gwrs, erbyn hynny roeddan ni'n glana chwerthin.

Heb i ni sylwi, fe ddaeth Gonc i gefn y bws, a rhoi cerydd i ni a'n gorfodi i eistedd yn nhu blaen y bws. Yn y diwedd, mi fynnodd Tomi fod y bws yn stopio iddo fo gael mynd i'r lle chwech, ac roeddan ni wedi dechrau meddwl na fyddai'r daith byth yn dod i ben. Rywsut, fe gyrhaeddon ni Aberystwyth.

Mewn rhyw ddosbarth ysgol roedd y rhagbrofion ac ro'n i'n meddwl ein bod wedi canu'n dda iawn tan i Meri Miwsig ddod atom ni ar y diwedd.

"Anobeithiol," medda hi'n flin. "Be

ar y ddaear oedd yn bod arnoch chi? Taswn i wedi rhoi hanner dwsin o ieir o flaen y beirniaid, fasan nhw ddim wedi gwneud gwaeth sŵn. Ac edrychwch arnoch chi, o ddifri calon – does 'na ddim graen arnoch chi. A Lari, lle goblyn mae dy dei di? Dwi'n siomedig iawn, iawn."

Hen gloman flin. Sut oedd hi'n disgwyl i ni edrych a ninnau wedi cael ein llusgo o'n gwlâu, a'n gwthio ar fws am daith o gan milltir, fel tasan ni mewn lorri wartheg? Amser cinio rydan ni'n cael ymarfer canu yn yr ysgol, ond roeddan ni wedi gorfod codi ganol nos a doedd hanner ohonon ni ddim wedi deffro'n iawn. Does dim rhaid dweud na chawson ni lwyfan.

Pan aethon ni ar faes y steddfod, daeth Meri Miwsig at ei choed, derbyn mai parti canu dwy a dimai oedd ganddi, a phenderfynu ei bod am fwynhau'r dydd, doed a ddelo. Roedd hi'n benderfynol ein bod yn mynd i'r pafiliwn i glywed y gystadleuaeth parti deulais, i ni gael deall sut oedd canu go iawn. Roedd yna gynnwrf mawr am fod Prins Charles wedi dod i'r steddfod.

"Be? Ydi Prins Charles yn mynd i gystadlu?" holodd Morus.

"Ydi, unawd dros 19 oed," atebodd Linda Mair.

"Mae o'n canu fel angel, wyddost ti ddim?"

"Fedar o ddim siarad Cymraeg, siŵr," medda Jero.

"Unawd i ddysgwyr ydi hi," medda Linda, gan wenu fel giât.

"I chi gael gwybod," medda Gonc, "mae'r Tywysog wedi dysgu dipyn o Gymraeg, ac mae o'n mynd i siarad ar y llwyfan. Rydych chi'n lwcus iawn eich bod am gael y cyfla i wrando arno."

"W – posh!" medda Lari, gan chwibanu.

"Unrhyw lol, ac mi fyddwch yn mynd yn ôl i'r bws i aros am weddill y parti!" medda Meri Miwsig.

Sôn am wneud ffwdan. Fasa rhywun yn meddwl bod yr angel Gabriel wedi dod i lawr i'r ddaear i annerch. Fuodd pawb yn disgwyl am oes, wedyn dyma rhyw ddyn yn dod, a siarad am faint o anrhydedd oedd hi fod Tywysog Cymru wedi dod i Steddfod yr Urdd, a bod Tywysog Cymru'n mynd i siarad Cymraeg, a'i fod o, Tywysog Cymru, am gael ei arwisgo yng Nghaernarfon mewn cwta fis. Reit yn nghefn y pafiliwn roeddan ni, a doeddan ni ddim yn gallu gweld y llwyfan yn dda iawn. Ges i dipyn o siom pan safodd un o'r dynion ifanc oedd yng nghefn y llwyfan ar ei draed a mynd i'r tu blaen i annerch. Tan iddo fo agor ei geg, 'nes i ddim sylweddoli mai Prins Charles oedd o. Fi oedd wedi cael rhyw syniad yn fy mhen sut beth oedd tywysog, ac ro'n i wedi meddwl y byddai dyn mewn clogyn coch a choron ar ei ben yn dod i'r llwyfan. Dim ond siwt a thei oedd gan hwn, ac roedd o'n edrych yn union fel unrhyw ddyn cyffredin. Doedd y dorf ddim yn stopio curo'u dwylo – gawson ni lond bol yn y diwedd, ac roedd fy nwylo i'n brifo. Mi roddon ni'r gorau iddi, ond sbiodd Gonc yn hyll arnon ni, felly mi roedd yn rhaid i ni ddechrau clapio unwaith eto.

Ond mwya sydyn, roedd yna rywbeth yn digwydd wrth y llwyfan. Cododd pobl ar eu traed a sibrydodd Harri Mawr fod rhywun wedi llewygu. Ond nid dyna oedd wedi digwydd. Mi chwifiodd rhywun boster yn yr awyr, ac arno roedd y geiriau 'Brad 1282'.

"Rhif ffôn rhywun ydi o," medda Morus, yn codi ar ei draed i weld yn iawn, ond gafaelodd Gonc yn ei war a'i sodro yn ôl i'w sedd.

Doedd 'na neb wedi llewygu – criw o bobl yn protestio yn erbyn Prins Charles oeddan nhw, a newidiodd awyrgylch y lle yn llwyr. Yn amlwg, doedd y protestwyr ddim yn lecio fod y tywysog wedi dod i'r steddfod, ac er nad oeddan ni'n gwybod beth oedd '1282' yn ei olygu, roedd y posteri eraill yn deud 'Bradychwyd yr Urdd' a 'Dim Sais yn Dywysog Lloegr'. Doedd y dyn ar y llwyfan ddim yn gwybod be i'w wneud, ac roedd Prins Charles wedi stopio gwenu, a ddim yn siŵr lle i edrych.

Cerddodd y protestwyr allan o'r babell, ac roedd rhai'n hisio arnyn nhw, ac eraill yn amlwg yn eu cefnogi. Fe gododd rhai eraill wedyn a dilyn y bobl ifanc allan o'r pafiliwn. Roedd y cyfan ar ben. Daeth y dyn oedd yn rhedeg y sioe at y meic a deud, "O leiaf mae 'na fwy wedi aros i mewn nag sydd wedi mynd allan," a dyma pawb yn curo'u dwylo fel pethau gwirion. Ro'n i'n rhyw deimlo mai tu allan y dylwn i fod efo'r bobl ifanc, ddim y tu mewn. Yna daeth Prins Charles ymlaen i siarad.

Cymraeg ddaru o siarad, ond doedd o ddim yn swnio fel Cymraeg. A deud y gwir, does gen i ddim clem be ddeudodd o. Ond beth bynnag ddeudodd o, roedd y gynulleidfa'n ei lecio, a gafodd o fwy o gymeradwyaeth na neb. Edrych arno'n gegrwth wnaeth ein criw ni. Roedd 'na gant a mil o bethau'n gwibio drwy fy meddwl.

Hwn ydi mab y Cwîn? Sut brofiad ydi cael llythyr gan y postmon, a llun dy fam ar y stamp? Fyddi di'n mynd i'r siop, talu a llun dy fam di ar y pres? Ond drwy gydol yr amser wnaeth o siarad, ro'n i'n teimlo'n annifyr rywsut 'mod i'n eistedd yno'n gwrando, yn lle cerdded allan ar ôl y protestwyr. Beth oeddwn i, Cymro go iawn neu ddim?

Roedd y dyn ifanc ddaru ennill y gadair yn y steddfod wedi sgwennu cerdd yn cwyno am yr Arwisgo. Ar ôl i ni fynd adra ar y bws y pnawn hwnnw, roedd 'na noson lawen gyda'r nos, a wnaeth Dafydd Iwan adrodd y gerdd fuddugol, ac mi aeth y lle'n wallgof. Mi ddaru hanner y gynulleidfa guro dwylo'n frwd, ac mi ddaru'r hanner arall godi twrw. Dwi wedi cael copi o'r gerdd, a dyma sut mae hi'n cychwyn:

Wylit, wylit, Lywelyn,
Wylit waed pe gwelit hyn.

Os ca i'r cyfle i weld Prins Charles eto, mi gerdda i allan, a wna i ddim gwrando arno – dim ots gen i be fasa Meri Miwsig neu Gonc Welsh yn ei wneud i mi.

PENNOD 13

"Caee dee geeck ee mockeen wirriun!" medda Philip wrthyf ar yr iard un bore, ac roedd gweddill y criw yn glana chwerthin. Edrychodd ar fy wyneb syfrdan a throi at y lleill. "'E's not laughing ..."

"Dysgu Cymraeg i Philip ydan ni!" medda Gorjin, wedi cynhyrfu. "Mae o'n mynd i ddeud hynna wrth Spragan yn y wers olaf."

"Don't you think I'm good, Bog Bob?" gofynnodd Philip yn siomedig. "Don't you wanna me to speak Welsh?"

"What's the sentence they've just teached you mean?" gofynnais.

"Can I go home early, please? *Caee dee geek ...*"

Ond mi rois fy llaw dros ei geg, a thra oedd y lleill yn glana chwerthin, ddeudais i wrth Philip am ddod am dro efo fi. Dwi wedi teimlo ychydig o

gyfrifoldeb dros Philip ers iddo gyrraedd. Mae o wedi codi dipyn go lew o Gymraeg ers iddo ddod i Dre i fyw, ond ddim hanner digon i ddeall pryd mae'r hogia'n gwneud hwyl am ei ben.

Roeddan ni'n meddwl mai Steddfod yr Urdd oedd diwedd busnes y parti canu, ac i ni gau pen y mwdwl go iawn, ond mae'n edrych fel ein bod wedi canu'n well nag oedd Meri Miwsig wedi'i feddwl. Yn Miwsig heddiw ddaru hi ddeud ein bod yn bedwerydd yn y rhagbrofion. Tasa rhyw ysgol dda yn Sir Fflint ddim wedi cystadlu, fasan ni wedi gallu bod ar y llwyfan. Mae hi'n rhy hwyr i feddwl am hynny bellach, ond mae'r parti wedi cael gwahoddiad i ganu mewn cyngerdd Arwisgo. Mae Meri Miwsig wedi cynhyrfu'n ofnadwy am hyn, ond mi fydd yn rhaid i mi ddweud wrthi. Dydw i ddim am fynd yn agos at unrhyw beth i'w wneud efo'r Arwisgo. Gawn nhw fy ngalw i'n *Welsh Nash*, yn *extremist*, ac yn bob enw dan haul, ond *dwi ddim* am newid fy meddwl.

Ges i lyfr da am adar o'r llyfrgell, a dwi wedi synnu cymaint o adar sy'n dod o bell i'n gwlad ni. Dwi'n meddwl y gwna i ddechrau dysgu sut i dynnu'u lluniau nhw. 'Nes i lun gwych o fronfraith heddiw yn *Art* a wnaeth Preis ei frolio fo. Faswn

Jac-do

i'n lecio cael aderyn dof i mi fy hun. Dim byd fel parot na dim byd mawr fel 'na. Jest ryw jac-do fasa'n gwneud y tro, ac mi fasa fo'n cael byw yn fy stafell wely a fi fasa'n ei fwydo fo. Fasa fo'n cael hedfan tu allan yn ystod y dydd, 'mond iddo fo ddod yn ôl ata i gyda'r nos.

Ges i gyfle i siarad efo Alys Mai heddiw, a 'nes i sôn wrthi am fy llun o'r fronfraith. Mae hi'n lecio tynnu llunia hefyd, a wnaeth hi ddeud y basa hi'n lecio gweld fy llun i. Pan mae gynnon ni rywbeth i siarad amdano, dwi'n iawn.

Un peth mae hi'n lecio'i wneud, medda hi, ydi edrych ar y nos. Mae hi'n byw mewn rhyw dŷ yn nes at Gaeathro, ac mae'r nos yn dywyll iawn yn fan'no. Dydyn nhw ddim yn cael golau stryd fel gawn ni yn Dre. Ac mae hi'n edrych ar y lleuad weithiau a meddwl mor anhygoel ydi o eu bod nhw'n trio anfon dyn yno. Dwi 'rioed wedi meddwl am hynny o'r blaen.

Ar ganol gwers *Biology* oeddan ni, pan ddaeth Susan *Form One* i mewn a deud wrth Tiwlip mewn llais bach, bach: "Mae angen i blant y parti canu ddod i ymarfar rŵan."

"Fydd y wers drosodd mewn deng munud, deudwch wrth Mrs Morris."

Safodd Susan *Form One* yno. Roedd hi mor fach ac eiddil, doedd rywun prin yn sylwi arni.

"Ewch rŵan," medda Tiwlip wrthi.

"Mae Mrs Morris isio iddyn nhw ddwad rŵan, Miss. Mae o'n bwysig," atebodd y greaduras.

Yn flin iawn, dywedodd Tiwlip wrth blant y parti am adael y dosbarth, ond arhosais wrth fy nesg.

"Ydyn nhw i gyd wedi mynd?" holodd Tiwlip wrth eu gwylio'n dilyn *Susan Form One* ar draws yr iard.

"Robat Aneurin – mae o i fod yn canu," medda Linda Mair, ond chymrodd Tiwlip ddim sylw ohoni.

Wrth gwrs, amser chwarae ar ôl cinio, mae Meri Miwsig eisiau fy ngweld. Mae hi'n gofyn lle roeddwn i, a pham nad oeddwn i yn yr ymarfer.

"Ddim isio bod yn y parti ydw i," atebais, yn meddwl fasa deud y gwir yn haws.

"Ho, fel 'na mae ei deall hi, ia?" medda hi, gan edrych arna i'n llawn dirmyg. "Pawb ar dân isio bod yn rhan o'r parti pan oedd o'n golygu trip i Steddfod yr Urdd, ond rŵan fod yr hwyl ar ben, rydach chi'n tynnu allan. Ydych chi'n deall ein bod yn canu o flaen y Prins?"

"Dyna pam nad ydw i isio mynd, Miss."

"Chlywais i 'rioed y fath lol. Rŵan, mi fydd rhaid i chi fod yn yr ymarfer nesa, neu fyddwch chi ar ei hôl hi, deallwch chi hynny!"

"Dwi'n gwrthod canu o flaen y Prins, Miss," medda fi, a bu bron iddi dagu.

"*Anti-royalist*, ie? Rydach chi'n mynd yr un ffordd â'ch chwaer. Os na fyddwch chi'n ofalus, mi fyddwch chi mewn dŵr poeth 'run fath â hi. Os na fyddwch yn dod i'r ymarfer, gewch chi fynd o flaen y Prifathro – cewch chi benderfynu." Ac i ffwrdd â hi, a chlec ei sodlau'n adleisio dros y coridor.

Hen gloman wirion.

Erbyn diwrnod wedyn, a minnau wedi colli'r ail ymarfer, ges i fy hel gan Meri Miwsig, o flaen y

Prif Gopyn ei hun. Pan feddyliais i am wneud safiad, ro'n i wedi meddwl amdano fel peth arwrol i'w wneud, ond ddaru'r Prifathro wneud i mi deimlo'n rêl ffŵl. "Be haru chi, hogyn?" gofynnodd, yn llawn dirmyg. Roedd o'n poeri'r geiriau allan, ac mi deimlais dipyn o'i boer ar fy moch.

"Dwi ddim yn ei ... ddim yn meddwl bod hi'n iawn gwneud Prins Charles yn Dywysog Cymru," meddwn i, gan lyncu fy mhoer.

"O?" medda fo, fel taswn i'n faw isa'r doman. "Nag ydych chi wir? A phwy fyddech chi'n lecio'i weld yn Dywysog? Mr Robert Aneurin, mae'n siŵr ..."

Bron nad oeddwn i'n gweld ei dymer yn codi wrth i'w wyneb o gochi.

"Nid eich lle chi ydi penderfynu be mae'r Frenhines isio'i wneud efo'i mab. Rydach chi yn yr ysgol yma i ddysgu ufuddhau a derbyn cyfrifoldeb. Os ydych chi wedi dewis canu yn y parti canu, fedrwch chi ddim gadael y parti efo rhyw esgusodion gwirion fel yna. Tasa pawb yn gwneud 'run fath â chi, fydden na ddim siâp ar ddim byd."

Edrychodd arnaf fel petai'n trio penderfynu p'un ai tynnu fy ymysgaroedd i o 'nghorff neu torri fy mhen i fyddai'r peth gorau i'w wneud.

"Rŵan, dim mwy o'r syniadau ffansi 'na. Os na fyddwch chi yn ymarfer nesa'r parti canu, fyddwch chi ar *detention*. Ewch."

A dyna ni. Dyna pam nad ydi'n hawdd i blant ysgol wneud safiad. Does yna neb yn ein cymryd o ddifri. Bechod droston ni. Dwi'n edrych ymlaen at yr adeg fydda i'n cael gadael yr ysgol yma – am byth.

PENNOD 14

"Felly, be wyt ti'n mynd i'w wneud – dod neu ddim?" gofynnodd Megan ar fore'r achos llys.

Ers i ni gael dyddiad achos llys Megan a Moi, mae o wedi bod fel cwmwl du uwch ein pennau a wnaiff Dad ddim siarad am y peth. Mae o'n teimlo fel dipyn o ffŵl yn y gwaith am ei fod wedi hefru cymaint yn erbyn 'y diawlad sy'n peintio', ac yna ffeindio'i fod yn dad i un ohonyn nhw. Mae Mam yn fwy cymodlon ac yn teimlo dros Megan, fel finna'. Mae colli eich job a chael eich 'restio yn ystod yr un mis yn giami.

"Am y tro ola, Robat, wyt ti'n dod neu beidio?"

Roedd y cwestiwn yma wedi peri cur pen i mi ers dyddiau. Er nad oedd gobaith i mi gael

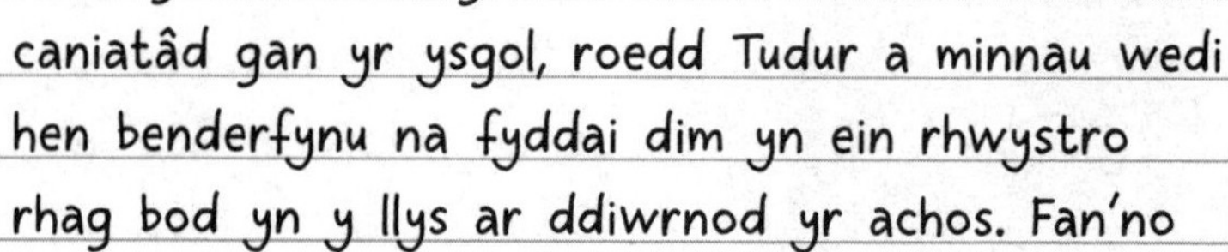

caniatâd gan yr ysgol, roedd Tudur a minnau wedi hen benderfynu na fyddai dim yn ein rhwystro rhag bod yn y llys ar ddiwrnod yr achos. Fan'no oedd ein lle ni – er mwyn Cymru, ac er mwyn Megan. Y niwsans oedd bod Tudur wedi cael traed oer y diwrnod cynt.

"Dwi'n dod," meddwn, heb wybod hynny fy hun nes i mi ddeud y geiriau.

"Heb Tudur?"

"Ia."

"Fyddi di ddim ar dy ben dy hun," medda Megan, fel petai hi'n darllen fy meddwl. "Fydd yna dipyn go lew o gefnogwyr yna, meddan nhw. Jest tynna'r jymper ysgol 'na, rhag ofn i chdi fynd i drwbwl. A dim gair wrth Mam a Dad, reit?"

'Nes i 'rioed feddwl y byddai'r llys mor fawr, nac mor grand. Dros y ffordd i'r castall, mae o fel tasan nhw wedi rhoi'r holl bethau sydd i fod i gadw trefn ar y Cymry i gyd yn yr un gornel. Ro'n i wedi'i basio sawl tro, ond heb sylwi mor fawr oedd y grisiau o'i flaen, ac mor anferth oedd y pedair colofn. Roedd y geiriau 'Victoria Reg' a 'County Hall' ar dop yr

adeilad. Ar y to ei hun roedd 'na gerflun carreg o ddynas efo lliain dros ei llygaid.

Yn y cyntedd, roedd dipyn o bobl wedi hel at ei gilydd, ond wyddwn i ddim pa rai oedd wedi dod i gefnogi Moi a Megan. Roedd yna dipyn o stiwdants Bangor ar y grisiau, efo posteri a phlacardiau. Gwelais wyneb Moi yn eu canol, a gwenodd arna i.

"Pwy sy'n chwarae triwant heddiw 'ta?" gofynnodd, a theimlais fy hun yn cochi. "Chwarae teg i ti am ddod, Robat. Mae o'n dipyn o beth."

"Ac yn golygu lot i mi," medda Megan, "yr unig aelod o'm teulu sy 'ma."

Pan glywais i hi'n deud hynna, ro'n i mor falch 'mod i wedi dod.

Fuon ni'n disgwyl am hydoedd, a bob hyn a hyn, roedd dyn mewn gŵn hir yn galw enwau, a'r rheini'n mynd i mewn i'r llys yn eu tro. Gan nad oedd gen i neb i siarad â nhw, es i allan ar y grisiau, gan smalio 'mod i eisiau awyr iach. Clywais gri'r gwylanod. Fedrwch chi ddim osgoi gwylanod yn G'narfon, maen nhw

castall o'm blaen, a'r holltau ffenestri oedd ynddyn nhw. Hwn oedd y castall ddaru Edward I ei adeiladu. Mae'r cerrig yma ers cannoedd ar gannoedd o flynyddoedd. Dwi'n cael traffarth coelio'r peth – bod hanes wedi digwydd go iawn, yma yn G'narfon. Bron fel taswn i'n meddwl mai stori fyddwn ni'n ei chael yn lesyns *History*, yn lle digwyddiadau go iawn. Dyna lle ro'n i'n mwydro fel hyn ar fy mhen fy hun pan welais i rywun yn rhedeg tuag at y llys. Hogan oedd hi – ac ro'n i'n ei nabod.

"Robat, be wyt ti'n neud 'ma? Dwyt ti'm i fod yn yr ysgol?"

Elen oedd hi – Elen a'i llygaid glas. Roedd hi'n llawn pryder ac wedi colli'i gwynt. "Ydi'r achos wedi bod? Gollais i'r bws – be sy wedi digwydd?"

"Dal i ddisgwyl ydan ni," meddwn i, nes i ni glywed y dyn yn gweiddi: "Ifas a Jones!"

"Jest mewn pryd!" medda Elen a wincio arnaf. "Tyrd!"

Roedd y llys fel capel mawr, efo seddi yn un pen, a chadeiriau a bwrdd hir ar lwyfan yn y pen pellaf.

"Court stand!" gwaeddodd y dyn efo clogyn ac wrth i bawb sefyll, daeth tri dyn o ddrws yn y cefn, ac eistedd yn y seddi mawr. Eglurodd Elen mai'r rheini oedd aelodau'r fainc. Nhw fyddai'n penderfynu beth fyddai'n digwydd i Moi a Megan.

Safodd dyn mewn siwt ar ei draed a dechrau traethu."The charge against these two is that they have caused criminal damage to a roadsign, contrary to the Road Traffic Act 1960. How do you plead, guilty or not guilty?"

"Gwrthod pledio," medda Moi, a Megan wedyn. Roedd Moi fel tasa fo wedi arfer, ond gallwn weld ar wyneb Megan na wyddai beth oedd yn digwydd.

Galwyd plismon i'r llys, ac mi ddaru mi ei nabod yn syth – y plismon welson ni ar noson y weithred! Rhoddodd dystiolaeth yn Saesneg, sut yr oedd wedi teithio ar y lôn y noson honno, "and I came to the vicinity of Port Dinorwic ..." medda hwnnw.

"Y Felinheli!" gwaeddodd rhywun o'r tu ôl i mi.

"Silence!" gwaeddodd Cadeirydd y Fainc. "Any

one interrupting the affairs of the court will be asked to leave."

"Siarada Gymraeg, y crinc!" oedd yr ateb, a daeth dau blismon a gwthio'r dyn allan o'r llys. Roedd o'n cael ei drin fel ni yn yr asembli, yn gwrando ar y Prif Gopyn ac yn cael ein hel allan am gamfihafio.

Yn y diwedd, bu'n rhaid gohirio pob dim er mwyn iddyn nhw ddod o hyd i gyfieithydd fel bod Moi a Megan yn cael siarad Cymraeg. Aethon ni allan i'r cyntedd a dyna pryd gwelais i Gwyndaf Garej.

"Wel, wel, edrychwch pwy sy 'ma? Ro'n i'n dyfalu y byddat ti'n mentro dod," medda fo. "Mi oedd Tudur ar dân isio dod, ond mae ganddo rieni mwy llym na dy rai di ..."

"Ŵyr Dad a Mam ddim 'mod i yma – ond ro'n i isio cefnogi Megan."

"Ro'n i'n gwrando ar y newyddion bora 'ma," medda Gwyndaf, "a doedd dim gair am yr achos arno ..."

"Nagoedd," meddwn.

"Cwbwl maen nhw'n sôn amdano ar y radio rŵan ydi am y Prins, a'r roced 'na sydd ar ei ffordd i'r lleuad. Y syniad gorau fyddai anfon

Prins Charles i'r lleuad, a datrys dwy broblem efo'i gilydd!"

Roedd meddwl am y Prins yn ei wisg gofodwr mewn roced yn syniad gwallgof.

"Dydyn nhw'n dysgu dim yma," medda Gwyndaf yn flin. "Siŵr Dduw fod angen cyfieithydd ar gyfer achos Cymdeithas yr Iaith. Wn i ddim be haru nhw ... Wyt ti wedi bod mewn achos llys o'r blaen?"

"'Rioed wedi bod yn agos at y lle 'ma," atebais *(a dwi ddim isio dod yn ôl am amser hir iawn, meddyliais).*

"Ddysgi di fwy yma mewn bora nag y gwnei di yn yr ysgol 'na," nododd Gwyndaf efo gwên.

Doeddwn i ddim wedi meddwl am hynny tan i Gwyndaf ei roi o felly. Nid colli addysg roeddwn i, ond dysgu addysg wahanol. Dyna sy'n dda efo Gwyndaf – mae o'n gwneud i mi weld pethau mewn ffordd wahanol. Nid dim ond mewn ysgol mae rhywun yn dysgu. Fedr rywun ddysgu mwy y tu allan i waliau'r ysgol. Pan waeddodd dyn y clogyn, neu Batman, fel bydda'r stiwdants yn ei alw, aethom yn ôl i'r llys.

"Sbia hwn yn meddwl ei fod o'n bwysig," medda Gwyndaf wrth fynd heibio iddo. "Hogyn

Sera Nodwydd ydi o – lecio meddwl amdano'i hun fel tasa fo yn yr Old Bailey yn Llundain."

Felly Cymro oedd Batman, Cymro oedd y plismon, Cymro oedd Cadeirydd y Fainc, ac eto roedd pawb yn siarad Saesneg ac yn mynnu cael cyfieithydd. Roedd yr holl beth yn wallgof.

Roedd y dyn mewn siwt yn holi'r plismon yn fanwl. "When did you see these two defendants?" gofynnodd.

"Pryd oeddech chi'n gweld y ddwy deffendant?" holodd y dyn oedd yn *trio* cyfieithu.

"By the time I had reached the outskirts of Port Dinorwic ..." atebodd y plismon.

"Y Felinheli!" gwaeddodd criw o'r dorf.

Adroddwyd holl hanes y noson, y noson oedd wedi'i serio ar fy nghof. Gollais i ddiddordeb ar ôl dipyn. Roedd hyn yn fwy diflas na gwrando ar Meipan yn mwydro.

Ond pan siaradodd Moi o'r doc, mi ddeffrôdd pawb drwyddynt, a mwynhau gwrando ar ei araith.

"Mae'n warth fod y llys hwn yng Nghaernarfon yn cael ei gynnal yn Saesneg pan fo pawb yma yn amlwg yn deall Cymraeg," medda Moi. "Pam fod hyn yn digwydd? Am fod Harri

VIII wedi datgan mai'r Saesneg oedd yr iaith swyddogol ym 1536. 1536! Mae hynna bedwar can mlynedd yn ôl, ac rydych chi'n methu symud yn eich blaenau!"

Curodd pawb eu dwylo, a gwylltiodd hyn y Cadeirydd yn arw.

"Tasa gennych chi ronyn o barch tuag atom, mi fyddech o leiaf wedi gallu defnyddio'r gair 'Felinheli' yn y llys heddiw. Ond na! 'Port Dinorwic' sydd ar yr arwydd, a dyna rydych chi'n ei ddefnyddio fel yr enw swyddogol – er bod enw 'Y Felinheli' yn llawer hŷn. Mi fyddwn fel Cymdeithas yn parhau i beintio'r enwau Saesneg ar yr arwyddion nes y bydd y Llywodraeth yn gweld yn dda i gydnabod y Gymraeg arnynt."

Daeth cymeradwyaeth gan y dorf a throdd y Cadeirydd at Megan gan ddweud yn ffroenuchel, "Megan Edwina Jones, you do not wish to address the court?"

"Megan Edwina Jones, nid oes gennych ddymuniad i gael cyfeiriad y cwrt?"

Chwarddodd y dorf wrth glywed y cyfieithiad gwael. Dyna beth oedd yn rhyfedd am y bore cyfan. Roedd un ochr yn ceisio'n galed iawn i wneud y cyfan mor ffurfiol â phosib, eto roedd yr ochr arall yn chwerthin ac yn curo dwylo a thorri ar draws, fel pe na bai ganddyn nhw damaid o ots am y lleill.

Sylwais ar yr ofn yn llygaid Megan.

"Na, dwi isio dweud rhwbath!" medda hi, a'r eiliad honno, allech chi fod wedi clywed pin yn disgyn.

"Doeddwn i ddim wedi meddwl siarad." Daria, roedd ei llais yn fach, fach, ac yn crynu.

"Ond gollais i 'ngwaith rai wythnosau yn ôl ... ym ... do, am fy 'mod i wedi siarad Cymraeg ar y ffôn ... yn y gwaith, dwi'n ei feddwl ..."

Daeth i stop, fel tasa hi ddim yn gwybod be i ddeud. *Deud rhwbath, Megan – mae pawb yn aros amdanat ...*

"Do, 'nes i golli 'ngwaith – dim ond am fy 'mod wedi siarad Cymraeg, a hynna mewn siop yn G'narfon. A tydi peth felly ddim yn deg." Llyncodd ei phoer, ac roedd o'n amlwg fod siarad fel hyn yn ymdrech iddi. "A dwi jest eisiau deud ... dwi 'mond isio deud 'mod i wedi cael sioc yn y llys yma heddiw. Dydw i 'rioed wedi bod yma o'r blaen, ac ro'n i'n disgwyl i bob dim fod yn Gymraeg. Ond doedd o ddim. A dydi hynna ddim yn iawn. Ac os na wnawn ni ddim byd, wel – mi fydd y Gymraeg yn diflannu o bob man, a dim ond ei siarad yn ddistaw efo'n gilydd fyddwn ni. Bydd gynnon ni ormod o gywilydd, fel sydd gynnoch chi ormod o gywilydd i'w siarad hi heddiw ..."

Bu curo dwylo am hir wedyn a throdd Megan i edrych arna i. Rhoddais wên enfawr iddi – ro'n i mor falch ohoni. Ac ro'n i'n pitïo na fasa Dad neu Mam yno, iddyn nhwytha gael bod yn falch ohoni.

"The magistrate have come to a decision. And we must emphasize, it's not a matter that we are afraid of speaking Welsh – English is the official language, and it is the language of a Court of Law. We have concluded that the two defendants *wedi* ... are guilty of breaking the law. Therefore, we shall impose upon you a fine of £35 and you shall also pay the costs of this court, that being the sum of £20 – each."

"Gwarth!" gwaeddodd rhywun.

Dechreuodd rhywun ganu 'Hen Wlad fy Nhadau', a chododd aelodau'r Fainc ar eu traed a cherdded o'r llys.

PENNOD 15

Gaethon ni laff yn *French* heddiw. Hen ddynas wirion sy'n ein dysgu ni a synnwn i ddim ei bod yn tynnu at ei chant. Am ryw reswm, 'dan ni'n gorfod ei galw yn Madame Heléne, sy'n wallgof, gan mai o Fangor mae hi'n dod. Mae'n gwisgo'i gwallt mewn *French knot* ac mae bob dim amdani mor French. Dydi hi ddim yn fy lecio i o gwbwl.

Ac mae hi'n fy ngalw yn Robért, ac yn dweud ei 'r' fel teulu Rhyd Gwiail. Does 'na neb o'r teulu yna'n gallu deud 'r' ond does 'na ddim byd *French* amdanyn nhw.

Dwi ddim yn gweld pwynt dysgu *French*. Awn ni byth yno – mae o'n rhy bell. A tasan ni'n mynd, mae'n siŵr fod pawb yn deall Saesneg, fel yn fan hyn. Ond mae'r ysgol 'ma mor hen ffasiwn fel bod nhw'n dal i ddysgu *French* a *Latin*.

Delyth Topia gychwynnodd y gêm. Ffilmiau rydan ni'n ei gael yn *French* – neu luniau mewn stafell dywyll. Mae 'na bobl pinna'n deud pethau yn *French* ac rydan ni'n gorfod adrodd y frawddeg ar eu holau nhw fel defaid – dair gwaith. Mae o'n erchyll o ddiflas. Felly mi gychwynnodd Delyth Topia hwmian, ac mi ddaru pawb wneud yr un fath.

"Don't be silly now, children," medda Ffrenshan, ond ddaru neb gymryd sylw ohoni.

Penderfynodd Delyth amrywio'r sŵn a dechrau clecian ei thafod. Dechreuodd pawb wneud 'run fath, gan anwybyddu'r brawddegau *French* yn gyfan gwbwl. Gan ei bod yn dywyll, doedd Ffrenshan ddim yn gallu gweld pwy oedd wrthi.

"One more time and I'll be stopping the slides," medda Ffrenshan.

Bingo! Dyna oeddan ni ei eisiau! Mentrodd Delyth dipyn pellach a gwatwar chwadan. Ond roedd hanner y dosbarth yn chwerthin gormod i'w dilyn. Stopiodd y peiriant, a dyma Ffrenshan yn rhoi'r golau ymlaen.

"Why has it always got to be like this?" gofynnodd y greaduras.

"*Je ne sais pas,*" medda Delyth Topia.

"Good, Delyth, that's a proper use of the

sentence. Why can't you all be like Delyth?"

Wrth gwrs, roedd hyn yn ormod i ni, a dyma ni'n chwerthin dros bob man.

Collodd Ffrenshan ei limpyn,

"Enough! Out you go, and go back to your class. I'm going to see the headmaster and put you all on detention!"

OUT!!

Rhuthrodd y dosbarth cyfan drwy'r drws a mynd i chwarae i'r iard.

Ganol pnawn, ddoth rhywun i'r dosbarth a deud bod y Prifathro am fy ngweld i. Doedd hyn ddim yn deg. Doeddwn i ddim wedi gwneud mwy o drwbwl yn y dosbarth *French* na neb arall.

Edrychais ar ddrws stafell y Prif Gopyn. Roedd fan hyn yn dechrau dod yn lle cyfarwydd. O diar ...

Pan welais wyneb y Prif Gopyn, gwyddwn fod pethau'n fwy difrifol nag oeddwn i wedi'i ofni. Roedd golwg fel y gŵr drwg arno.

"Robert Aneurin," medda fo gan duchan, fel tasa fo'n mynd i gyhoeddi mai fi oedd y nesaf i fynd at y crocbren. "Unwaith eto."

"Ia, syr."

"Ydych chi'n dal yn ddisgybl yn yr ysgol yma?"

Cwestiwn od.

"Ym – yndw, syr."

"Dydach chi ddim yn swnio'n siŵr iawn."

"Dydw i ddim yn deall, syr."

Cododd y Prifathro o'i sedd a sbio i fyw fy llygaid i. "Na, dwi ddim yn meddwl eich bod chi, Robert."

Cadw'n dawel oedd y peth gorau i mi ei wneud.

"Os ydach chi'n ddisgybl yn yr ysgol yma, rydych yn dod yma – bob diwrnod."

"Ydw, syr."

Gwylltiodd yn sydyn. "Nag ydych – peidiwch â deud celwydd! Lle roeddech chi ddydd Gwener?"

O diar. Dyna oedd ganddo fo dan sylw.

"Yn y Llys, syr – roedd fy chwaer i o flaen y Fainc."

"A fan'na fyddwch chitha hefyd yn fuan. Be

ddaeth dros eich pen chi?"

"Eisiau ei chefnogi hi oeddwn i – syr."

"Ac mi oedd hynna'n bwysicach na dod i'r ysgol?"

Meddyliais am y peth ac ateb yn onest.

"Oedd, syr."

"Nac oedd, doedd o ddim! Doedd ganddo chi ddim mymryn o hawl penderfynu nad oeddech chi am ddod i'r ysgol a mynd draw i'r llys i gefnogi llond dwrn o lowts yr iaith! Anhrefn sy'n dod o beth fel hyn – anhrefn! Mi fydda i'n cael gair efo'ch rhieni chi, ac yn trafod eich sefyllfa efo nhw. Rŵan – ewch!" Eisteddodd yn ôl yn ei sedd a dal i sbio'n hyll arna i – fel taswn i'n lwmp o faw.

Ro'n i wedi dychryn gymaint, ro'n i fel taswn i wedi fy hoelio i'r llawr.

"Mae o'n drist," medda'r Prif Gop, yn dod ato'i hun, "gweld plant fatha chi – fasa'n *gallu* gwneud rhywbeth ohoni – yn dod o dan ddylanwad rhyw garidýms, ac yn difetha eich dyfodol."

Edrychais yn ôl arno, yn pitïo na allwn ei ateb o, fel roedd Megan wedi ateb y dyn gwirion ar y Fainc, ond doedd gen i ddim geiriau yn fy mhen o gwbwl. Y cyfan wyddwn i oedd fy mod i'n casáu'r Prifathro'n fwy na neb arall yn y byd y funud honno. Edrychais yn hyll yn ôl arno, cerdded allan o'r stafell, a gadael y drws ar agor led y pen – yn fwriadol.

"A chaewch y drws ar eich hôl, wnewch chi, y llymbar diog!"

Ro'n i bron â chrio wrth gerdded yn ôl i'r dosbarth. Roedd cymaint o wylltineb yn cronni tu mewn i mi, a theimlwn fod y byd yn lle mor annheg. Doeddwn i ddim wedi cael y cyfle o gwbwl i roi fy ochr i. Doeddwn i ddim wedi cael y cyfle i achub fy ngham.

Pan es yn ôl i'r dosbarth, roedd pawb eisiau gwybod be oedd wedi digwydd, ond ddeudais i ddim wrth neb. Roedd y cwbwl wedi mynd yn rhy ddifrifol.

Detention a leins oedd fy nghosb am fynd i gefnogi Megan. Ro'n i'n gorfod sgwennu can llinell: 'I must not be disobedient'. Does dim unrhyw bwynt rhoi cant o leins i neb. Maen nhw'n meddwl bod rhywun yn dysgu gwers wrth sgwennu:

I must not be disobedient.
I must not be disobedient.
I must not be disobedient.

Ond nid dyna sut mae plant ysgol yn sgwennu leins, ond fel hyn:

I must
I must
I must

Ac wedyn ar ôl hynna, rydan ni'n sgwennu

not be
not be
not be

ac mae o'n llethol o *boring* ac yn ddim iws i neb. Mae'n siŵr mai rhoi'r cyfan yn y bin maen nhw ar ôl i ni fynd i'r holl drafferth. Gwirion ydi athrawon. Ond pan dwi'n meddwl am be mae Megan wedi bod drwyddo, dydi sgwennu *hundred lines* yn ddim byd.

Ond mi ddigwyddodd un peth heddiw ddaru fy ngwneud yn hapus. Ro'n i wedi mynd heibio'r parc cyn mynd adra i Rhos yr Unman, a dyma fi'n eistedd ar y fainc yno, yn meddwl pa mor ddigalon oedd fy mywyd ar hyn o bryd. Fel ro'n i'n syllu ar y gwrych wrth fy ymyl, edrychais yn fwy manwl a dyma fi'n gweld nyth. Dwi 'di gweld sawl nyth o'r blaen, ond 'rioed un efo plastig ynddo. Roedd y deryn yn amlwg wedi cael gafael ar ddarnau o blastig ac wedi'u rhoi nhw'n ddarn o'i nyth. O fwd roedd y nyth wedi'i wneud, ac mae hynny'n fy rhyfeddu – fod adar, dim ond efo'u pig, yn gallu creu y fath beth. Es i heibio i weld Gwyndaf, a sôn am y peth, ac fel bob tro, roedd ganddo rigwm i'w hadrodd,

"Pa eisiau dim hapusach
Na byd yr aderyn bach?
Byd o hedfan a chanu
A hwylio toc i gael tŷ ..."

"Cofia honna, Waldo wnaeth hi," medda Gwyndaf.

"Pwy ydi Waldo?" gofynnais, yn meddwl enw mor od oedd o.

"Hwn," atebodd, a chyfeirio at lun du a gwyn ar y parad. Mewn sawl garej arall, lluniau digon amheus o genod maen nhw'n eu rhoi ar y waliau, ond lluniau o hen ddynion sy yn Garej Gwyndaf. "Bardd mwya'r ugeinfed ganrif – arwr."

Roedd o wrthi ym mherfedd peiriant car yn troi y peth hwn ac yn datod y peth arall. Fyddwn i byth yn blino ar ei weld yn ymgolli yn ei bethau.

"Ti 'di darllan cyfansoddiadau Steddfod yr Urdd, Robat?"

Ddeudais 'mod i wedi bod yn Steddfod yr Urdd a 'mod i wedi gweld Prins Charles, ond doedd gan Gwyndaf ddim tamaid o ddiddordeb yn hynny, a throi'r sgwrs yn ôl at y Cyfansoddiadau. Eglurais nad oeddwn i'n deall barddoniaeth rhyw lawer.

"Be haru ti?" gofynnodd Gwyndaf, yn codi ei ben o ymysgaroedd y peiriant, ac edrych arna i fel taswn i wedi rhegi. "Nid *deall* barddoniaeth wyt ti, ond 'i deimlo fo – fan hyn," Trawodd boced ei ofarôl, ac wedi chwilota drwy fyrdd o bapurau ar y bwrdd, dangosodd lyfr i mi. "Cyfansoddiadau Eisteddfod yr Urdd, 1969," medda fo'n falch. Bodiodd drwyddo, dod o hyd i ddalen, a rhoi gorchymyn i mi. "Gwranda:

Wylit, wylit, Lywelyn
Wylit waed pe gwelit hyn.
Ein calon gan estron ŵr,
Ein coron gan goncwerwr."

Gwrandewais mewn rhyfeddod. Doeddwn i 'rioed wedi clywed rhywun yn adrodd rhywbeth efo cymaint o deimlad. Mwya sydyn, roedd y geiriau'n siarad efo mi. Falla nad o'n i'n deall y cwbwl, ond roedd cymaint o ddicter yn llais Gwyndaf fel 'mod inna' hefyd yn ei deimlo, ac roedd o'n brofiad rhyfedd.

"Anhygoel," medda Gwyndaf gan gau'r llyfr, a'i roi i mi.

"Hwda – os nad wyt ti'n darllan dim byd arall eleni, darllan hwnnw. Darllan o drosodd a throsodd, a meddwa ar y geiriau. Dyna be mae bardd go iawn yn ei wneud – rhoi geiriau i'r hyn mae pobl yn ei deimlo."

PENNOD 16

Roedd Mam yn iawn i boeni – mae o dros y papurau i gyd, nid yn unig y *Caernarvon and Denbigh*, ond mae o ar dudalen 3 o'r *Daily Post*, ac roedd o ar y radio hefyd. Dwi'n trio deud wrth Megan falla fod hyn yn beth da, ac y bydd pobl yn cynnig job iddi, ond mae hi'n ei weld o'n hollol fel arall. Ac mi fydd pobl yn ei nabod hi ar y stryd o bosib, ac mae'r greaduras jest yn ddigalon. Mae Moi yn deud bod dim ots – bod rhaid iddi arfer efo fo. Dwi'n amau wneith hi beintio arwyddion byth eto.

Fel ro'n i'n ei ofni, mi gysylltodd y Prifathro â Dad a Mam, ac roedd yna ffrwydriad arall.

"Wrth gwrs ei fod o yn yr ysgol," medda Mam wrth y Prif Gopyn ... a ffeindio wedyn 'mod i ddim.

Taswn i wedi meddwl rywfaint, mi allwn fod wedi sôn wrth Mam am y ffrae ges i ganddo fo, ac mi fyddai hynna wedi paratoi'r ffordd. Mi aeth Dad yn gwbwl honco.

"Mae cael un *extremist* yn y tŷ yn ddigon drwg, heb sôn am gael dau," medda Dad, gan fy ngwahardd rhag mynd allan am wythnos gyfan. Driais i ddeud wrthyn nhw mai dangos cariad brawdol oeddwn i, ond ddaru hynny ddim gweithio. Y ffaith 'mod i wedi mynd i'r llys heb ddeud wrthyn nhw sydd wedi'u brifo fwyaf. Ond fel ddeudodd Megan, taswn i wedi deud, fasan nhw wedi fy stopio. Pethau amhosib ydi rhieni.

Maen nhw'n tynnu arna innau yn yr ysgol hefyd, ond dim ots gen i. Dwi wedi cael ambell fathodyn gan Moi a dwi'n ei wisgo fo ar fy ngwisg ysgol. 'Eithafwr' ydi un, a 'Popeth yn Gymraeg' ydi'r llall. Mae 'na blant wedi dechrau 'ngalw i'n 'Llywelyn'. Dim ots gen i am hynna chwaith – dwi'n meddwl ei fod o'n lasenw crand iawn.

Dwi wedi dewis gwneud prosiect ysgol am adar, ac mae Tudur am wneud ei un o am *Apollo 11*. Gen i dudalen am bob deryn, a fesul dipyn, dwi'n tynnu eu lluniau nhw, neu'n cael lluniau o fagasîns. Dwi'n gallu defnyddio dipyn o stwff o fy llyfr nodiadau, a deud lle dwi wedi gweld yr adar, a sut fath o gân sydd ganddyn nhw. Mi fasa'r byd 'ma'n well lle tasa pawb yn talu mwy o sylw i adar.

Weithiau, dwi'n cael mynd i stafell Megan i wrando ar ei recordiau hi. Mae ganddi hi beiriant bach i'w chwarae. Yn ddiweddar mae hi'n gwrando dipyn ar record *Carlo* gan Dafydd Iwan a *Those Were The Days* gan Mary Hopkin – rhyw fodan o ochrau Abertawe. Ro'n i wrthi'n sipian un o fy lolipops un noson, a gofynnodd Megan a gâi hi un. Yna mi soniodd fod yna rali'n mynd i gael ei chynnal yn G'narfon.

"Be ydi rali?" gofynnais, gan 'mod i 'rioed wedi clywed y gair o'r blaen.

"Pawb yn dod at ei gilydd i ofyn am rwbath a gwneud areithiau."

"Fatha cyfarfod?"

"Mae o fwy cynhyrfus na chyfarfod. Da ydi'r lolipops 'ma. Faint sydd gen ti ar ôl?"

"'Mond dau."

"Un i chdi ac un i fi felly, 'de?" medda hi'n sionc. Faswn i ddim wedi breuddwydio rhannu fy lolipops efo hi ers talwm. "Ia, mewn rali, mae isio posteri a phlacardiau, a falla fyddwn ni'n gwneud gorymdaith."

"Yn G'narfon?"

"Ia ... ti'n cofio chdi a fi'n arfar meddwl mai twll tin y byd oedd G'narfon? Dwi 'di newid fy meddwl rŵan. Dwi'n meddwl ei fod o'n lle cynhyrfus, hanesyddol."

"Pam?" gofynnais.

"Roedd Moi yn sôn yn y llys y dydd o'r blaen mai yn fan'no roedd tri o aelodau Plaid Cymru wedi bod ers talwm. Roeddan nhw wedi rhoi rhywle ar dân."

"Tri Penyberth oeddan nhw."

"Sut wyt *ti'n* gwybod?"

"Gwyndaf Garej oedd yn sôn. Mae o'n rhoi gwersi hanas answyddogol i mi – petha dydyn nhw ddim yn fodlon eu dysgu yn yr ysgol i ni. Ddeudodd o mai rhoi ysgol fomio ar dân ddaru nhw. Dwyt ti ddim yn mynd i ddechrau llosgi petha, nag wyt?"

Chwerthin ddaru Megan. "Faswn i ddim yn cael

taswn i isio! Di-drais ydi Cymdeithas yr Iaith. Ti'n gorfod ... aros i mi gofio ... ti'n gorfod ymwrthod â thrais tafod, trais dwrn a thrais calon."

Roedd o'n swnio fel Gweddi'r Arglwydd i mi. "Be mae hynny i gyd yn ei feddwl?"

"Yn y bôn, ti ddim yn cael brifo neb, felly fiw i ti losgi dim, rhag ofn i ti frifo rhywun.

Trais tafod ydi deud pethau cas, trais dwrn ydi brifo rhywun efo dy gorff, a thrais calon ydi fatha ... brifo nhw mewn unrhyw ffordd arall, dwi'n meddwl."

"Ti'n gorfod deud llw i addo hyn – fatha llw'r Urdd?"

"Nagwyt – ti jest ddim yn ei wneud o," medda hi, yn dechrau colli mynadd 'mod i'n holi gymaint. Ond roedd o i gyd mor ddiddorol, ro'n i eisiau gwybod.

"Deud fwy am y rali 'ma," medda fi.

"Rali arwyddion fydd hon, ond mae 'na rali arall am gael ei chynnal," medda Megan, wedi cynhyrfu, "yn G'narfon eto – jest cyn diwrnod yr Arwisgo – ac mi fydd cannoedd o bobl yn dod i honna."

"Ro'n i'n meddwl bod Cymdeithas yr Iaith yn erbyn yr Arwisgo," meddwn i, ddim yn deall.

"Yn *erbyn* yr Arwisgo mae'r rali, siŵr iawn," atebodd Megan.

"Ti'n meddwl neith rywun gymryd sylw? Fedran ni byth ei stopio fo rhag digwydd ..."

"Ddim dyna ydi pwynt rali, ond dangos bod pobl ddim yn hapus."

Meddyliais am y peth. Roedd gen i lot i'w ddysgu. Ro'n i wedi dysgu lot yn y tipyn misoedd dwytha, ond yn amlwg roedd gen i ffordd bell i fynd.

"Ydi plant ysgol yn cael mynd i'r rali 'ma?"

"Wrth gwrs eu bod nhw."

"Dydan ni ddim yn cael gwneud fawr o ddim byd arall."

"Pam, be wyt ti isio'i wneud?" gofynnodd Megan yn sydyn, gan edrych arna i.

"Wn i ddim. Cael pobl i wrando ar ein barn ni. Gadael i ni golli ysgol ambell waith. Stopio cael ein trin fel plantos. Gadael i ni gael cyfla i wneud ..."

"Gwneud be?"

Wyddwn i ddim. Gwneud rhywbeth gwahanol. Gwneud rhywbeth heblaw'r pethau roedd rhaid i ni eu gwneud bob dydd, ddydd ar ôl dydd, nes bod ein bywydau ni'n cael eu gwastraffu.

Am fod Dad allan, a Moi wedi mentro dod heibio, gafodd o ddod i mewn am banad am y tro cynta ers oes. Es i fyny i'm llofft efo bocs corn-fflêcs a chael hwyl yn gwneud placard. Dydi'r sgwennu ddim yn wych, doedd y paent ddim yn ddigon tew – ond fedar rhywun ei ddeall o. Taswn i ddim ond yn cael darn o bren rŵan i wneud polyn i'w ddal, faswn i'n falch iawn ohono.

PENNOD 17

Doeddwn i ddim eisiau bod yr unig hogyn ysgol yn y rali, felly 'nes i berswadio Tudur i ddod efo fi at y Maes. Ond fel ddeudodd o, "Os landiwn ni yn jêl, wna i ddim maddau i ti." Dwi'n meddwl y bydda Tudur yn gysur mawr i mi yn jêl. Dydi o ddim cweit yn jêl os ydi'ch ffrind gorau chi yno efo chi, nac ydi?

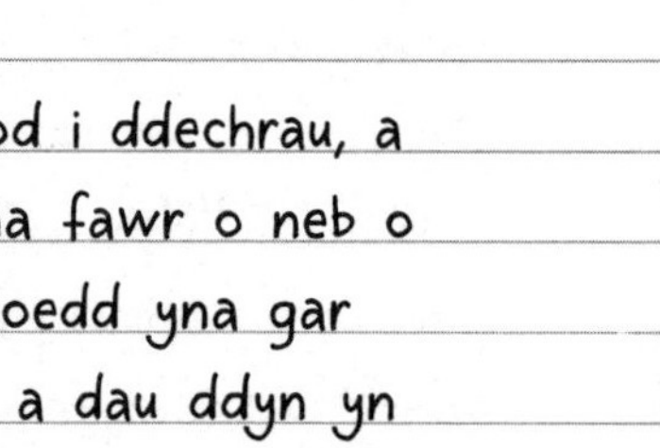

Dau o'r gloch oedd y rali i fod i ddechrau, a phum munud cyn hynny, doedd 'na fawr o neb o gwmpas, neb ro'n i'n ei nabod. Roedd yna gar Morris Minor bach wrth y Post, a dau ddyn yn trio rhoi weiars corn siarad yn eu lle, ond doedd fawr neb arall. Ond erbyn tua pum munud wedi dau, roedd yna lwyth o bobl wedi dod – yn agos at gant – a lot efo placardiau swyddogol. 'Pob dim yn Gymraeg!' oedd ar fy mhlacard i. 'Popeth' oedd o i fod, ond doedd dim ots. 'Dim Port Dinorwic' oedd un arall roeddwn i'n mynd i'w wneud, ond roedd Megan wedi troi ei thrwyn ar hwnnw, a deud fasa neb yn ei ddeall. Dydw i ddim yn deall yr arwydd 'Cyfiawnder' chwaith, ond dydi o'm ots.

Ar ôl holi Moi, 'nes i ffeindio be oedd y 'Brad 1282' welais i ar blacard yn y steddfod yn ei feddwl ac nid rhif ffôn neb oedd o. Dyddiad oedd o – y dyddiad ddaru Llywelyn ein Llyw Ola farw. Fo oedd tywysog olaf y Cymry. Am hwnnw ddysgon ni yr adeg roeddan ni'n cael y wers ar Edward I. 'Nes i ddim sylwi ei fod o cweit gymaint o amser yn ôl. Mae gen i ben gwael am ddyddiadau, ac mae rhywbeth sydd mor hen â Taid wedi'i jymblo yn fy mhen i yn *Vikings, Victorians, Romans, Tudors* a beth bynnag arall sydd 'na. Yn fy mhen i, mae o i gyd o dan y pennawd 'ers

talwm', a fan'no fydda i'n ei adael o.

Ond dwi'n deall rŵan pam mae Llywelyn mor bwysig – am eu bod nhw'n trio rhoi ei deitl o – Tywysog Cymru – i Prins Charles! Mae o i gyd yn gwneud synnwyr. Does 'na ddim tywysog wedi bod ar ôl Llywelyn, fedar na 'run fod, gan eu bod wedi ei ladd. Felly mae rhoi'r teitl i dywysog o Sais yn giami, achos *y nhw*, y Saeson, oedd y gelyn. Mae lladd y tywysog yn ddigon drwg. Mae aros saith gan mlynedd, a dwyn y teitl i'w roi ar eu tywysog *nhw* yn hen dric gwael. Felly dyna pam maen nhw'n deud 'Brad'. Difyr ydi hanes pan mae rhywun yn ei egluro fo. Dwi mor falch nad ydw i'n canu yn y parti canu gwirion 'na rŵan.

Meddwl am hyn ro'n i wrth wrando ar yr areithiau yn y rali. Roedd 'na braidd ormod o siarad, ac roedd Tudur a fi wedi cael digon. Gaethon ni job gan Moi i fynd rownd efo bwced i hel pres, ac roedd hynny'n well na sefyll yn ein hunfan.

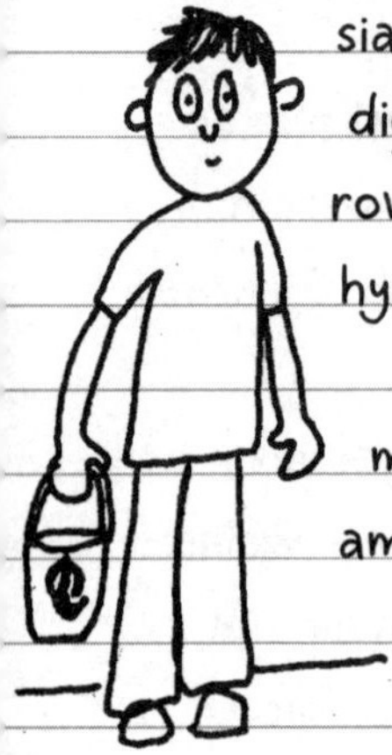

"'Dan ni'n meddwl mynd adra wedyn," medda fi, ond ddeudodd Moi wrthon ni am beidio, achos roedd y peth mwya cynhyrfus eto i ddod.

Pan o'n i'n gwrando ar y

siaradwyr, ddaru un neu ddau sôn am Megan a Moi a deud eu bod wedi gwneud 'safiad arwrol'. Dwi'n siŵr fod Megan yn falch o hynny, ar ôl yr holl bethau annifyr sydd wedi digwydd adra. Ro'n i'n falch ohoni, ac yn teimlo bechod na fyddai Dad wedi cael gwybod cymaint o feddwl sydd 'na ohoni.

Llais Megan glywais i wedyn. "Robat – aros lle rwyt ti!"

Chwiliais am ei hwyneb yn y dorf, a mwya sydyn, roedd pawb wedi gwasgu at ei gilydd. Gwelais wyneb Megan yn eu canol, a phryder yn ei llygaid. Daeth fan wen at lle roeddan ni'n sefyll, ac mi newidiodd yr awyrgylch yn syth.

"Allan o'r ffordd!" gwaeddodd rhyw ddyn ar Tudur a fi, a dyma 'na ddyn arall yn gafael yn y meic. "Mae'r heddlu wedi gofyn i ni am dystiolaeth," medda'r dyn yn fwyaf difrifol, "ac wedi ein herio ni i ddweud beth yw achos ein hanniddigrwydd. Diffyg parch at yr iaith Gymraeg yw'r achos, a dyma hi'r dystiolaeth."

Trois fy mhen wrth glywed sŵn metel yn taro'r llawr yn galed. Dyna sioc ges i pan welais ddrysau cefn y fan wen yn agor, a rhywun yn taflu arwyddion ffyrdd ohoni. Rhai arwyddion

bach melyn 'At any time', rhai mwy 'Give Way', ac wedyn arwyddion ffyrdd efo enwau arnyn nhw, ond wedi'u torri'n ddarnau.

"Dyma'r dystiolaeth – arwyddion ffyrdd sydd yn drwch dros ein gwlad, a phob un yn ddieithriad yn Saesneg. Pryd cawn ni barch at ein hiaith yn ein gwlad ein hunain? Dyna'r cyfan a ofynnwn amdano!"

Roedd yr arwyddion fel manna o'r nefoedd i'r plismyn. Mwya sydyn, dyma nhw'n gwthio drwy'r dorf, a dechrau gafael yn hwn a hon. Mewn dim, roedd hi'n bandemoniwm llwyr. Miglodd Tudur a finna' o'r ffordd at y Post, a syllu mewn rhyfeddod ar yr olygfa o'n blaenau. Gwelais Megan yn dod ar ein holau, ac ro'n i'n ofn cael llond ceg ganddi. Ond ein rhybuddio wnaeth hi.

"Mae pethau'n troi'n fudur – arhoswch yma ar bob cyfrif!"

"A tithau hefyd, Megan!" medda finna'.

"Dwi'n mynd i chwilio am Moi!" gwaeddodd hi,

a throi'n ôl at y protestwyr.

"Fasa ddim yn well i ni droi am adra?" gofynnodd Tudur yn betrusgar.

"Dwi'n aros," atebais. "Fedar nhw wneud dim i ni'n fan hyn ... dydan ni ddim yn creu trwbwl."

"Dydi honna ddim chwaith," medda Tudur, gan sylwi ar ferch mewn côt ddenim yn cael ei llusgo gerfydd ei breichiau ar hyd y llawr.

"Dydyn nhw ddim yn cael cwffio 'nôl" eglurais, yn teimlo'n dipyn o larts 'mod i'n gwybod y rheolau, ond fedrwn i ddim cofio'r holl lw roedd Megan wedi'i ddweud am y trais Tafod a Dwrn.

Driodd un plismon gwirion sefyll o flaen drws cefn y fan er mwyn rhwystro'r dynion rhag tynnu'r arwyddion ohoni, a ddaru hynny 'mond cythruddo'r protestwyr. Aeth y dyn oedd wedi bod yn annerch y rali at y meic a deud wrth bawb am eistedd i lawr. Erbyn hynny, roedd 'na fan heddlu fawr yn dod ar y Maes, a mwy o bobl yn cael eu rhoi ynddi. Dechreuodd y dyn â'r meic enwi'r rhai roedd yr heddlu'n eu rhoi yn eu fan fawr. Roedd o'n nabod pob un. Teimlais i eu bod nhw'n un criw mawr, a'u bod yn cefnogi'i gilydd.

Bellach, ar y Maes, roedd pentwr reit fawr o arwyddion, ac mi aeth un hogyn ar ben y cwbwl a dechrau neidio, i gymeradwyaeth fawr. Ceisiodd yr heddlu gael gafael arno, ond diflannodd i ganol y dorf, a chydiodd pawb ym mreichiau'i gilydd. Gwelais Megan yn eu canol, fraich ym mraich efo Moi, a dyma nhw'n dechrau canu. Roedd llygaid Megan yn llawn angerdd, a doeddwn i ddim wedi'i gweld fel yna o'r blaen, neu ddim ers talwm iawn, beth bynnag.

"Caiff yr iaith ei lle, caiff yr iaith ei lle,
Caiff yr iaith ei lle-e-e-e,
O, mi wn dan fy mron, fe wyddwn i,
Caiff yr iaith ei lle rhyw ddydd."

Roedd y bobl tynnu lluniau a'r riportars wrth eu bodd, yn manteisio ar y cyfle i gael stori gwerth chweil. Teimlwn i a Tudur allan ohoni braidd, yn enwedig gan nad oeddan ni'n gwybod y geiriau.

"Mae hwn yn barti canu gwerth bod yn rhan ohono," medda Tudur yn slei, a rhoi winc i mi.

"Maen nhw'n canu'n well hefyd," cytunais, "heb Meri Miwsig o'u blaenau'n gwneud y migmas rhyfeddaf."

Dal ati i edrych ddaru ni, ac roedd rhywbeth lledrithiol, hypnotig am y canu – y modd roedd pawb yn dal i ganu'r un gân drosodd a throsodd, a'r heddlu wedi rhoi'r gorau i gludo pobl i ffwrdd.

"Ti'n iawn, Robat?"

Trois fy mhen a gweld gwên hudolus. Syllais i lygaid Elen, a'r gwallt melyn driphlith draphlith drostyn nhw.

"Ro'n i'n gobeithio y baswn i'n dy weld yma," medda hi. "Dwi 'di dod â hon yn ôl i ti." O'i bag dyffl, tynnodd fy nghôt, yn lân ac yn dwt, ac wedi'i phlygu'n ddel. "Taswn i'n gwybod y byddet ti yn yr achos, mi fyddet wedi'i chael y diwrnod hwnnw."

Llwyddais i ffeindio fy nhafod. "Diolch, Elen," meddwn i, a gwenu.

"Dwi'n meddwl cychwyn busnes *laundry* – i eithafwyr," medda hi'n bryfoclyd, "ond roedd hi'n dipyn haws cael dy gôt di'n lân, na chael gwared o'r paent oedd ar fy nhrwyn. Dyna be oedd llanast!"

Chwarddais. Hon oedd yr hogan glenia a welais i 'rioed.

"Criw da yma, does?"

"Oes." Doeddwn i ddim eisiau deud gormod, rhag ofn i mi ddeud rhywbeth gwirion. "Dydw i 'rioed wedi bod mewn rali o'r blaen."

"Y gynta o lawar, gobeithio!" Edrychodd ar y criw. "Doeddat ti ddim gwaeth wedi'r noson o'r blaen?"

"Na, ro'n i'n iawn, diolch."

"Wyt ti ffansi rhoi cynnig arall arni eto rywbryd?"

"Wrth gwrs," meddwn i, yn gwybod yn iawn y bydda angen rhywbeth go gryf i'm llusgo i allan eto ar y fath antur.

"Welwn ni chdi'n fuan 'ta, Robat," medda hi, a wincio cyn mynd i ffwrdd.

Roedd Tudur wedi gwrando ar y ddrama i gyd yn gegagored.

"Honna braidd yn hen i fod yn gariad i chdi!" medda fo wrth sbio ar Elen.

"Fasat ti'n synnu," medda fi. Tasa gen i sigarét yn fy ngheg, faswn i wedi'i thynnu hi, a gwylio'r mwg yn mynd i fyny i'r awyr. "Fasat ti'n synnu

cyn lleied wyddost ti am fy mywyd i ..."
Teimlwn fel John Wayne.

Ddeudodd Tudur ddim byd, ond roedd o'n amlwg wedi drysu.

"Pam mae hi'n golchi dy ddillad di?" gofynnodd ymhen dipyn, yn methu cuddio'i chwilfrydedd.

"Jest trefniant sydd rhyngon ni," medda fi wedyn, a phenderfynu peidio egluro mwy. Mae hi'n iawn i minnau gael fy nghyfrinachau.

PENNOD 18

Dwi'n dal i chwerthin am y peth. Elis oedd wedi bod yn mwydro efo *bubble gum* drwy'r bore, ac yn y wers *Maths*, roedd pethau mor ddiflas nes ein bod ni bron â disgyn i gysgu. Dwi'n meddwl bod Jôs Maths ei hun yn teimlo 'run fath. Dyna lle roedd o'n trio gwneud y sym lluosi anferth 'ma ar y bwrdd du, ac roedd o'n amlwg mewn trafferthion, achos roedd o wedi dechrau siarad efo fo'i hun.

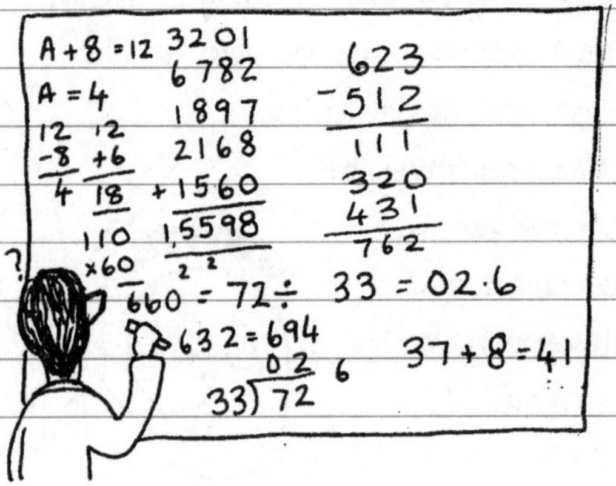

"So there you have it," medda fo, "twelve times six is ..." ond doedd neb yn gwrando arno fo, ac roedd Morus a Harri Mawr yn cael gêm o

noughts and crosses, a Linda Mair yn gwneud eroplên bapur, a finna'n sgwrsio efo Lari am be oedd o'n mynd i'w wneud ddydd Gwener.

"Wait a moment," medda Jôs Maths, yn dal i siarad efo fo'i hun, ac yn dechrau cael gwared o'r rhifau oddi ar y bwrdd du efo'r rwbiwr. "If I divide this, and ... No, if we go around it another way ..."

"Ga i fynd i'r lle chwech, syr?" medda Jason, ond doedd neb yn gwrando arno. Yn y diwedd, cododd Jason, ac allan â fo. Ddaeth o ddim yn ei ôl, a ddaru Jôs Maths ddim sylwi, hyd yn oed.

Ro'n i'n gwylio Elis yn chwythu balwn binc anferth, a dyma'r gweddill ohonon ni'n troi i edrych, ac yn wir, roedd hi'r swigan fwyaf i ni ei gweld erioed. Roedd mwy yn sbio ar Elis nag oedd yn sbio ar yr athro, ac yn gwbwl annisgwyl, mi fyrstiodd y swigan – dros wyneb Elis i gyd. Sôn am chwerthin. Wrth gwrs, mi sylwodd Jôs

Maths ar hynny, a gwylltio, a lluchio rwbiwr y bwrdd du at Elis, a doedd ganddo ddim gobaith caneri ei osgoi. Cafodd ei daro ar ei dalcen, ac mae ganddo glais piws erbyn hyn.

"You insolent boy," medda Jôs Maths, a gyrru Elis i sefyll tu allan i'r dosbarth. "Class finished," medda fo'n sych.

Roedd ambell un wedi bod yn brysur yn copïo'r sym mwya yn y byd i'w llyfrau dosbarth, ac eisiau gwybod be oedd yr ateb terfynol, ond y cwbwl ddeudodd Jôs Maths oedd, "Try and work it out yourselves." Os na fedr o hyd yn oed wneud y sym, mae'n wirion disgwyl i'r gweddill ohonom wneud hynny. Dydw i ddim am drio, hyd yn oed.

Dwi wedi penderfynu 'mod i'n anobeithiol efo *French*. Ges i *zero* allan o ddeg yn y gwaith cartra'. Roeddan ni i fod i gyfieithu brawddegau *French* i Saesneg, ac roedd pob un o'm rhai i'n anghywir. Doedd Ffrenshan ddim yn hapus. Wnaeth hi ofyn am fy ngweld ar ôl y dosbarth.

"What's the matter with you, Robért?" medda hi. Dydi hynna ddim yn gychwyn da i sgwrs. Gadwais i'n dawel.

"You're a bright boy but you're messing about with the wrong crowd. You could have good grades if you only tried."

Edrychodd ar y llyfr. "How do you explain this?"

Edrychais ar y llyfr. Be oedd hi'n disgwyl i mi ddeud? Doedd o ddim fel taswn i wedi trio rhoi'r atebion anghywir.

"Do you want to be able to speak French?"

Doedd dim tatan o ots gen i. "Yes, miss."

"Will you promise me that you'll try harder?"

Ha ha ha. "Yes, miss."

"Neu fydd gen i ddim dewis ond deud wrth eich rhieni chi y tro nesaf y gwela i nhw."

"Iawn, miss."

Edrychodd yn hyll arna i, fatha 'mod i'n drewi.

"Robért ..."

Edrychais inna' arni hithau.

"Have you taken the slightest bit of notice of what I've been telling you for the past five minutes?"

"No, miss." Camgymeriad oedd hynna. 'Yes' ro'n i wedi bwriadu ei ddeud, ond 'No' ddaeth allan. Fuodd bron i Ffrenshan ddechrau crio yn y fan a'r lle. I ffwrdd â fi – fedrwn i wneud dim byd arall. Ond ro'n i'n teimlo'n wael. Rwdl-mi-rwtsh ydi Ffrensh, beth bynnag. Faint haws ydw i o'i dysgu hi?

Mae'r holl sefyllfa wedi mynd yn honco bost. Mae'r ysgol wedi mopio'i phen yn llwyr efo'r *Investiture*. Bai ni ydi o, debyg, am fod yr ysgol agosaf at y ffoldi-dŵ. Maen nhw eisiau i blant o'n hysgol ni fynd i chwifio fflagiau wrth i'r *Royal Family* ddod i Dre. Mae hi wedi mynd yn ffrae yn y Cyngor p'un ai ydan ni'n chwifio'r Ddraig Goch neu'r *Union Jack*. Fel tasa ots. Pwy ddiawch sydd eisiau croesawu'r *Royals* i G'narfon?

Tasach chi wedi fy holi flwyddyn yn ôl, mae'n ddigon posib y byddwn wedi teimlo'n reit gyffrous ynglŷn â'r holl beth. Yr adeg honno, ro'n i'n meddwl y basa rhywbeth yn digwydd i fywiogi'r twll lle 'ma, yna mi fydda fo'n bendant yn beth da – heb sôn am rywbeth mor gynhyrfus â'r Teulu Brenhinol. Ond dyna ddangos faint rydw i wedi newid mewn blwyddyn. Flwyddyn yn ôl, doedd Megan ddim wedi cael y sac o'i gwaith, doedd hi a Moi ddim yn gariadon, ac roedd pobl oedd yn peintio arwyddion yn byw ar blaned arall. Yr adeg honno, pobl ar blaned arall oedd y *Royal Family*, ond dwi wedi dysgu tipyn mwy amdanyn nhw erbyn hyn.

Felly mae criw o'n dosbarth ni wedi dweud nad ydan ni'n mynd yn agos at y *Royal Route* i chwifio unrhyw fath o fflag. Rhyw gynghorydd ar y Cyngor ddeudodd y bydda fo'n beth braf i'r Frenhines weld baneri Cymreig yn cael eu chwifio.

Ddeudodd rywun arall mai yn yr *United Kingdom* ydan ni, ac o barch at deulu'r Windsors, y dylid chwifio'r *Union Jack*.

Felly mae'r Cyngor wedi'i rannu, ac mae rhai am chwifio'r *Union Jack* a rhai eraill am chwifio'r Ddraig Goch. Dydan ni ddim yn mynd i chwifio unrhyw fath o fflag, achos mae'r holl beth yn anghywir.

Un diwrnod, yn y gwasanaeth, roedd Dyn Pwysig Iawn ar y llwyfan yn rhoi plac i gofio'r Arwisgo i bob plentyn yn yr ysgol. Darn o blastig oedd o efo tair pluen Tywysog Cymru arno, a'r geiriau 'Ich Dien'. Chwarddodd pawb yn harti pan glywson nhw hyn. Doedd y Dyn Pwysig Iawn ddim yn lecio hyn o gwbwl. Cymerodd oes i bob plentyn fynd i fyny ar y llwyfan i dderbyn ei blac, a phan ddaeth tro Tudur a minnau, aethon ni at y Dyn Pwysig a deud nad oeddan ni eisiau un. Cawsom ein hanfon yn syth at y Prif Gop.

Yr un druth ag o'r blaen gawson ni, ond erbyn hyn, ro'n i'n barotach i sefyll ar fy nhraed fy hun a dadlau fy achos.

"Rydach chi'n prysur wneud enw i chi'ch hun fel dipyn o rebel, Robert Aneurin. Be ydi'r lol 'ma dwi'n ei glywed nad ydych chi'n fodlon mynd efo gweddill yr ysgol i groesawu'r Teulu Brenhinol?"

"Dydw i ddim yn cytuno efo'r Arwisgo, syr."

"Does neb yn gofyn i chi gytuno. Rydach chi'n cynrychioli'r ysgol, ac mae'r ysgol yn dangos croeso i rywun o'r tu allan. Problem ufudd-dod ydi eich problem chi."

"Dwi yn yr ysgol i ddysgu, a ddim i chwifio fflagiau ar rywun sydd ddim yn Frenhines arno i."

Bu bron i'r Prif Gopyn lyncu ei dafod.

"W – rebel go iawn, ia? Dydw i ddim yn credu eich bod yn cael dewis bod o dan y Frenhines ai peidio. Rydach chi'n *British Citizen*, ac mi ddaw yna gyfnod yn eich bywyd lle byddwch chi'n reit falch o fanteision hynny."

"Dwi'n credu mai sioe wleidyddol ydi'r Arwisgo i wneud i ni deimlo'n llai o Gymry."

"Eich trwbwl chi, Robat, ydi eich bod wedi cael eich *brainwashio* gan dipyn o stiwdants Bangor. Mater i chi ydi be wnewch chi ar ôl gadael yr ysgol, ond tra eich bod chi'n ddisgybl yn yr ysgol yma, mi wnewch chi fel dwi'n ddeud. Ydach chi'n

deall?"

"Ydw, syr, ond dydw i ddim yn mynd i fynd yno."

"Gawn ni weld."

PENNOD 19

Mae gynnon ni gynllun ar gyfer yr Arwisgo erbyn hyn, ac rydan ni'n teimlo'n gynhyrfus iawn. Ar yr iard y diwrnod o'r blaen, roedd 'na griw ohonon ni'n trafod "Y Plan", a dyma Philip yn dod atom ni.

"Su'mai?" medda fo. "What's up?"

"Nothing," medda Lari Leino, "nothing to do with you – you're a Sais."

Aeth Philip i ffwrdd, efo golwg ddigalon arno fo, ac roedd gen i bechod drosto fo.

"Ti ar fai'n deud hynna, Lari," medda Tudur.

"Sais ydi o, 'de?" medda Lari yn hy. "Fedar o ddim bod yn erbyn yr Investiture."

"Ti wedi gofyn iddo fo?"

"Wel naddo, siŵr Dduw. Ond mae o'n hollol amlwg, tydi?"

Edrychodd Tudur arna i, ond ddeudais i ddim byd. Os oedd Philip yn Sais, doeddwn inna'

ddim yn gweld sut y gallai o fod yn erbyn Prins Charles.

"Dydi o ddim yn iawn ei adael o ar ei ben ei hun," medda Elma, "'*one for all and all for one*' ydi'n *class* ni fel arfar." Wnaeth hitha edrych arna i hefyd. Mae pawb fel tasan nhw'n meddwl mai fi ydi ei ffrind o.

"Ma ganddo fo yr un enw â tad Prins Charles!" medda Lari, fel tasa hynna'n setlo'r mater.

"Ma gen inna yr un enw â Henry VIII hefyd, ond dydi hynna ddim yn fy ngwneud i'n Sais," medda Harri Mawr.

Cododd Tudur ei ben. "Cymro oedd tad Henry VIII – tasa hi'n dod i hynna," medda fo, "ond dim ots am hynny rŵan."

"Ydi mae o!" medda Linda Mair. "Os mai Cymro oedd Henry VIII, mae o'n perthyn i Prins Charles – rywsut."

Ddaru ni stopio trafod hynna wedyn, achos doedd 'run ohonon ni'n rhyw siŵr iawn o'n hanes, yn enwedig llinach teulu brenhinol Lloegr.

"Ei di at Philip," gofynnodd Tudur i mi, "jest i wneud yn siŵr ei fod o'n iawn?"

Am mai Tudur ofynnodd i mi, i ffwrdd â fi i

Henry VIII
Cwîn Victoria
George
George
Edward George
Prins Philip — Y Cwîn
Prins Charles

chwilio am y creadur. Doedd o ddim yn anodd iawn dod o hyd iddo fo – cerddai ar ei ben ei hun rownd Cae Cicio.

"Sorry about that, Philip. He wasn't trying to be ..." Fedrẃn i ddim cofio'r gair Saesneg am 'annifyr'. "He wasn't really meaning to be, er ... hateful."

"Could have fooled me," medda Philip, wedi pwdu. "Were you all talking about me?"

"Duwadd, no," atebais, yn gweld ei fod o wedi camddeall y sefyllfa. "We were talking about the Investiture."

"So why wasn't I allowed to listen? Was it because I'm a *Sais*?"

Ro'n i allan o 'nyfnder. Doeddwn i erioed wedi trafod hyn efo Philip o'r blaen.

"Yes," meddwn i, yn meddwl fasa'n well bod yn onest. Wedyn, ro'n i ofn pechu, a dyma fi'n deud, "No."

"You think I'm a royalist?"

Roeddan ni'n mynd i ddyfroedd dyfnion iawn rŵan. Pam mai fi gafodd y job o fynd i siarad efo'r boi 'ma?

"Do you, Robert?" gofynnodd wedyn. "I thought you knew me better ..."

"I don't know what you think of things like that," medda fi, "and it doesn't matter – we can still be friends."

"But it does matter – 'cause I'm left out. I can't bear you to think that I'd stand up for an idiot like Prince Charles!"

Edrychais arno, yn gegagored.

"I hate the Queen, I hate the Royal Family, I hate their wealth and everything they stand for," medda Philip. Doeddwn i 'rioed wedi'i weld mor danbaid.

Sefais yn stond, a gwenu arno. "Da 'de? You're one of us, then!" medda fi, fel tasa 'na lamp fawr wedi'i goleuo tu mewn i mi. "Un o'n hogia ni, myn diawch."

"Un o'n hogie *nee*," medda Philip ar fy ôl. Mae ei Gymraeg o'n dal i swnio'n rhyfedd, ond mae o wedi dysgu beth wmbradd.

"Tyrd, we'll go and tell them," medda fi, ac wrth lwc, roedd o ddigon o ddyn i ddod efo fi.

"One thing I'd hate you to think is that I'm a bloomin royalist. Me dad's from Liverpool, and he's a freaking republican, you know."

"What's that?" meddwn i, gan ofni y byddan ni'n anghytuno eto.

"Someone who wants to get rid of the Royal Family," eglurodd Philip efo winc.

Wyddwn i ddim fod yna enw arbennig ar gyfer pobl oedd ddim yn lecio'r Teulu Brenhinol – ro'n i'n dysgu lot o eiriau'n ddiweddar, yn Gymraeg ac yn Saesneg.

"I am a republican too, then," medda fi, yn teimlo'n grand, rywsut.

Roedd golwg o ryddhad ar wyneb Tudur pan ddaethon ni'n ôl, a gweld bod Philip mewn hwyliau da.

"Un o hogia ni ydi o!" gwaeddais dros y lle. "Mae o'n casáu y *Royals*!"

"Dwee yn casaee y *Royal Family*!" medda Philip fel rhyw barot.

"Hwrê!" medda pawb.

"Ym, sorry," medda Harri Mawr, "for calling you a *Sais*."

"I am a *Sais*, and there's nothing I can do

about it," atebodd Philip, "but I'd like to tell you that not every *Sais* likes Prince Charles."

"Very good!" medda Linda Mair. "Felly gwna fo'n rhan o'r Plan."

Ar ôl y sgwrs honno, daeth Philip a minnau'n ffrindiau go iawn.

PENNOD 20

Gwawriodd dydd Mawrth, 1 Gorffennaf 1969, fel unrhyw ddiwrnod arall, ond doedd o 'mhell o fod yn ddiwrnod cyffredin. Gorweddai'r rhan fwyaf o bobl y Dre Frenhinol yn eu gwelâu yn edrych ymlaen at y digwyddiad. Doedd Caernarfon ddim wedi gweld dim byd tebyg. Roedd galwyni o baent wedi'u defnyddio i orchuddio waliau'r hen adeiladau, ac roedd pob siop yn sgleinio fel newydd. Ond go brin y byddai neb yn sylwi arnynt heddiw, o bob diwrnod – ar y castall yr oedd sylw holl bobl y byd.

Mi ddeffrois yn teimlo'n gynhyrfus. Wyddwn i ddim ddim beth oedd o'm mlaen, ond gwyddwn y byddai'n ddiwrnod gwahanol i'r arfer. Roedd o'n ddiwrnod llawn posibiliadau.

Gwenais wrth ddychmygu Prins Charles yn ei wely yn rhywle, a'r Cwîn yn trio

ei godi a deud wrtho am ymolchi y tu ôl i'w glustiau …

Amser brecwast, roedd Mam yn trio rhoi siâp ar fy nhei, a minnau'n gwingo.

"Ddim y fi sy'n cael fy ngwneud yn Dywysog Cymru," medda fi.

Tywalltais y corn-fflêcs i'r bowlan a sylwi nad oedd llefrith yn y jwg.

"Os oes 'na hogyn i mi'n mynd i fod ar y telefision, mae'n rhaid iddo fo fod yn smart," medda Mam.

"'Sgynnoch chi ddim telefision, Mam."

"'Rydan ni wedi cael ein gwadd i dŷ Julie i weld y cwbwl. Nid 'mod i'n cytuno, ond gan fod y genod i gyd yn mynd, fydd o'n ddigon difyr."

"Dach chi'n troi'n rêl *royalists*!"

"Paid ti â meiddio mynd i drwbwl, beth bynnag wnei di. Mae un extremist yn y tŷ 'ma'n ddigon … Ac os ti'n gweld camera telefision, rho wave fach ddel i dy fam." *Wave fach ddel,* myn coblyn i, meddyliais wrth adael y tŷ.

Yn yr ysgol, roedd hi'n bandemoniwm. Athrawon wedi cynhyrfu, pawb yn rhedeg o gwmpas fel pethau gwyllt, a genod yn trin gwalltiau ei gilydd. Doedd 'na ddim gwersi i'r adran iau heddiw. Gawson ni druth gan yr athrawon, a Meipan, Jôs Maths, Pritch a Spragan, oedd yn cerdded i lawr i'r Maes efo ni. Pawb i gerdded yn syth, fesul dau.

"Fatha anifeiliaid Noa!" medda Lari Leino, "Ww, dwi'n teimlo'n *excited*!"

Roedd rhai wedi tynnu allan o'r Plan, ac roedd Tudur yn reit flin efo nhw. Linda Mair oedd y cynta i ddechrau mwydro.

"Dwi 'di cael sgwrs efo Nain, a dwi ddim eisiau bod yn rhan o'ch Plan chi," medda hi, yn amlwg yn teimlo'n annifyr, achos roedd hi wedi cochi.

"Ers pryd wyt ti'n gwrando ar dy nain?" holodd Tudur. "A ti ddim i ddeud wrth neb am ein cynllunia' ni."

"Ddeudais i 'run gair," medda Linda'n daer, "ond ma gen i bechod drosti. Ma hi'n deud mai heddiw ydi diwrnod pwysica ei bywyd hi. Fasa'n gas gen i feddwl 'mod i'n ei ddifetha iddi ..."

"O'r gorau, un yn llai," medda fi, yn trio cyfrif ar fy mysedd faint oedd yn ein criw ni.

"Na, dydach chi ddim un yn llai, achos mae Delyth Topia yn deud bod hi ar eich ochr chi."

Edrychodd Tudur a finna' ar ein gilydd. Mam Delyth Topia oedd wedi trefnu'r parti Arwisgo yn eu stryd nhw. Roedd Delyth Topia efo tair cwpan Arwisgo, ac wedi cael jig-so Prins Charles yn bresant gan ei modryb.

"Delyth Topia?" medda Tudur a finna' efo'n gilydd yn amheus.

"Sbei ydi hi !" medda fi'n sydyn.

"Naci – mae'n ffansïo Philip!" medda Linda Mair, a throi ar ei sawdl.

Roeddan ni'n werth ein gweld, plant Ysgol Segontium, yn cerdded i lawr y stryd. Roedd miliynau o bobl bob ochr y pafin, yn codi llaw ac yn gwenu. Roedd 'na deimlad hapus iawn, ac roedd yr haul yn tywynnu.

"Dwi'n teimlo fel taswn i'n rhan o'r *Royal Family!*" medda Delyth Topia.

"Rydan ni gyd yn dywysogion heddiw," medda Harri Mawr, a dechrau codi llaw yn ôl ar y dorf.

"Fawr o rebals, nac ydan?" medda Tudur wrtha i, dan wenu.

Ond yn ddistaw bach, ro'n innau'n mwynhau bod yn rhan o'r orymdaith, a phan welais gamera telefision, 'nes i wirioni'n lân a rhoi gwên fawr i Mam.

Er ein bod wedi disgwyl mynd ar y Maes, ddaru'r plismyn ein hebrwng at y rhan o'r pafin oedd o flaen siop ddillad Nelson, a deud mai fan'no oedd yr agosaf y byddan ni'n mynd y diwrnod hwnnw. Roeddech chi'n methu gweld y Maes gan fod cymaint o bobl yno. Rhannodd Meipan a Pritch fflagiau i ni gyd.

"*Union Jacks* ydyn nhw!" medda Elma. "Dydan ni ddim yn dal *Union Jacks*!"

"Does 'na ddim Draig Goch ar ôl," eglurodd

Meipan. "Maen nhw i gyd wedi mynd. Chwifiwch rhain, a bihafiwch."

Cymerodd pawb un, ac mewn dim, roedd myrdd o *Union Jacks* yn chwifio o flaen ein llygaid. Edrychais ar Tudur am arweiniad.

"Well i ni eu chwifio nhw – fydd o'n rhyw fath o *decoy*," medda fo.

Ond roedd chwifio'r faner honno'n deimlad chwithig. Roedd hi'n cynrychioli popeth oedd o'i le am y sioe, a doedd hi ddim yn gweddu i G'narfon. Mwya sydyn, daeth geiriau'r bardd ddaru ennill yn Steddfod yr Urdd i 'mhen, y rhai ddaru Gwynfor Garej eu dysgu i mi:

Fe rown wên i'r Frenhiniaeth,
Nid gwerin nad gwerin gaeth.
Byddwn daeog ddiogel
A dedwydd iawn, doed a ddêl.

Yn sydyn, dyma fi'n dal llygad Philip – doedd o ddim yn chwifio unrhyw faner. Edrychai'n hurt arna i'n dal f'un i, ac fe'i gollyngais mewn cywilydd.

"Some protest this is," medda fo.

Edrychais ar Tudur. Roedd yntau, mae'n rhaid,

wedi teimlo bod y cwbwl yn chwithig, ac roedd pawb yn edrych ar ei gilydd, heb fod yn siŵr be i'w neud. Drwy'r amser, cadwai'r athrawon lygaid barcud arnom.

"Ddo' i â hi allan rŵan," sibrydodd Tudur, gan ymbalfalu o dan ei wisg.

"Ond dydi ddim yn amser eto!" medda fi, o dan fy ngwynt.

"Dim ots, ella gollwn ni'n cyfla ..." atebodd, a dod â'r gynfas i'r golwg. Wyddwn i ddim yn iawn pa ben i'w ddal a dyma Philip yn fy helpu. Mewn dim, roedd hi wedi'i hagor a dyma Elma a Lari yn cynhyrfu'n lân a dechrau gweiddi "Bŵ!" dros bob man ar bawb arall. Doedd hyn ddim yn rhan o'r cynllun, ond doedd dim ots, roedd hi'n rhy hwyr. Ro'n i'n trio penderfynu a oedd gweiddi "Bŵ!" yn drais tafod.

Daliodd Tudur un pen, Philip y pen arall, a finnau yn y canol. Roedd yna dipyn o wynt i'w deimlo, felly andros o job oedd cadw'r faner yn wastad. Ond dyna lle roedd y geiriau'n amlwg, er dipyn yn flêr: 'Brad 1282'.

Ddigwyddodd bob dim mor sydyn wedyn. Rhaid

bod rhywun efo camera wedi sylwi, achos daeth o'n syth aton ni drwy'r dorf a dechrau clician ei gamera fel peth gwirion.

"Bŵ!" gwaeddodd rhyw hanner dwsin ohonon ni.

"Tewch!" meddai Pritch o dan ei wynt, ond wrth weld y cynnwrf, trodd i weld beth oedd yr helbul, ac mi drodd ei wyneb fel y galchen.

Gwaeddodd ar Meipan, ond wyddai yntau ddim be i'w wneud, ac yn y diwedd, deifiodd Meipan i'n canol, fel petai'n ceisio gwthio'r faner i'r llawr. Roeddan ninnau wedi dychryn wedyn, ac roedd

Meipan yn methu codi gan ei fod wedi'i lapio yn y gynfas ac yn strancio fel plentyn.

Delyth Topia ddechreuodd chwerthin, wedyn mi gafodd pawb y gigls, a dyma Spragan a Pritch yn dod i'w helpu, ond erbyn hynny roedd pawb yn gweiddi "Hwrê!", ac roedd llygaid pawb ar y ddrama oedd yn digwydd i griw ein hysgol ni.

"Gwarthus! Gwarth-us!" poerodd Jôs Maths. "*Disgrace* llwyr," ac yn ei wylltineb, rhoddodd glustan i Philip.

"Bŵŵ!" hisiodd pawb, a golygfa ddoniol oedd Jôs Maths a Spragan yn trio codi Meipan.

"Dach chi i gyd ar *report*!" medda Spragan.

"'Nes i ddim byd!" gwaeddodd Delyth Topia.

Roedd y dorf yn gweiddi'n uwch ac yn uwch, a mwya sydyn, aeth y sŵn yn fyddarol. Roedd o fel tasa C'narfon i gyd yn codi ei llais i weiddi "Hwrê!" mewn cefnogaeth i ni. Codais fy mhen i weld hetiau'n hedfan, môr o *Union Jacks* a fflagiau Draig Goch yn chwifio. Yna, gostegodd y sŵn mwya sydyn.

"Be oedd hynna?" gofynnais i Tudur yn hurt.

"Prins Charles yn mynd heibio," medda fo, a rhoi winc i mi.

Wna i byth, byth anghofio'r eiliadau hynny.

PENNOD 21

Adra dwi'n sgwennu'r geiriau yma – ac adra mae Tudur a Philip hefyd. Os ddaru ni feddwl mai protest fach oedd hi, wel roeddan ni wedi camddallt. Mam bach, dyna beth oedd Trydydd Rhyfel Byd.

Fasa rhywun yn meddwl mai bom oedd gynnon ni ar y Maes, yn hytrach na rhacsyn o faner. Mi gawson ni *police escort* i'n hebrwng yn ôl i'r ysgol. Mwya sydyn, doedd neb eisiau ein nabod ni. Sôn am *one for all, and all for one.* Sobrodd pawb drwyddyn nhw, ac unwaith eto, ro'n i o flaen drws y Prif Gop. Fuon ni'n aros tu allan i'r drws am chwarter awr, a dwi'n meddwl bod hynna'n rhan o'r artaith.

Dyna lle roeddan ni'n syllu ar y plac ar y drws – *Headmaster.* Tynnodd Tudur fwndal o sticeri o'i bocad.

"Ges i rhain yn y rali," medda fo, "ac mae'n hen bryd i mi eu defnyddio."

Un gair oedd ar y sticeri – 'Cymraeg!' Dim ond un gair mewn llythrennau du. Tynnodd un sticer, ei lyfu efo'i dafod, a'i roi dros y gair *Headmaster.*

"I won't get the blame for that!" medda Philip. "Byddan nhw ddim yn meddwl bod gynno fi stickers fel yna."

"Hei – ti'n siarad Cymraeg!" medda Tudur, efo gwên fel giât.

"Fi'n trio," medda fo, gan wincio. "Might as well if I'm in with you lot."

Y funud honno, agorodd y Prifathro'r drws. Welais i erioed neb yn edrych *mor* flin.

Yn wahanol i'r adegau eraill, doedd gan y Prif Gop fawr i'w ddweud wrthon ni'r tro hwn. Ddaru o ddim dechrau pregethu, na thrio ein dysgu. Prin ddaru o edrych arnon ni. Wnaeth o jest deud ein bod ni wedi dwyn y gwarth mwya dychrynllyd ar ein hysgol. Ar ddiwrnod hanesyddol i G'narfon, roeddan ni wedi llwyddo i ddifetha'r diwrnod i dyrfa fawr o bobl, codi cywilydd ar ein ffrindiau a'n teuluoedd, a chodi gwarth ar yr ysgol. Fuodd ganddo fo erioed gymaint o gywilydd o'i ysgol, ac roedd o wedi anobeithio'n llwyr am ein dyfodol.

Un dewis oedd ganddo – ein gyrru o'r ysgol am weddill y tymor, a doedd o ddim yn siŵr y caem ddod yn ôl ar ôl gwyliau'r haf. "Allan â chi – ewch i nôl eich pethau o'r dosbarth, ac rydych chi wedi'ch gwahardd o dir yr ysgol am dymor amhenodol."

Allan â ni, a heibio'r dosbarth i nôl ein bagiau, a phawb yn hollol dawel fatha tasa rhywun wedi marw, a dyma ni'n cerdded drwy giât yr ysgol. Ddaru'r tri ohonom edrych ar ein gilydd, fel tasan ni ddim yn siŵr be i'w neud.

"He wasn't too pleased, was 'e?" medda Philip. "Ni yn plant drwg *iawn*."

Gofynnodd Tudur iddo a fyddai ei rieni'n wallgof. Codi ei ysgwyddau ddaru Philip. "I think my old man will come down and give the Prif a bit of a bollocking," atebodd. "He's got no right to do that – we weren't on school grounds. Mi bydda i yn gadael i ti gwybod, *ok, chaps?*"

"Hwyl," medda ni, a'i wylio'n mynd.

"Dydi o ddim i'w weld yn poeni gormod," medda Tudur.

"Ro'n i'n meddwl bod y Prif yn mynd i'n crogi ni'n gyhoeddus," meddwn, yn falch o fod allan yn yr awyr iach. "Pan welith o'r sticar ar ei ddrws, beryg mai dyna wneith o ..."

"Dwi wedi cael digon ar yr ysgol," medda Tudur. "Ella na fydda i'n mynd yn ôl yno."

Doedd Mam ddim wedi gwylltio gymaint ag ro'n i wedi'i ddisgwyl, ac yng ngolwg Megan a Moi, ro'n i'n arwr, wrth gwrs. Roedd Dad yn fwy blin, ond pan ddaeth y *Caernarvon and Denbigh* mewn ychydig ddyddiau, roedd ein llun ni ynddo fo, ac mi ddaru hynny frifo Dad yn fwy na dim arall.

Yn y diwedd, mi siaradodd Megan efo fo, ac mi ddaru hynny wella pethau. Poeni amdanon ni oedd o, medda fo – na fyddan ni'n cael gwaith ar ôl i ni adael yr ysgol. Digon hawdd bod yn rebels rŵan, ond difaru fyddan ni mewn ychydig flynyddoedd.

Sut ydw i fy hun yn teimlo? Dwi wedi cael gwyliau haf hirach nag ro'n i'n ei ddisgwyl. Mae'r dyddiau'n hirach, ond yn y diwedd, gafodd Tudur a minnau job haf yng ngofal y fan hufen iâ yn ymyl Bont Rabar. Rhyfedd ein bod wedi cael gwaith yn gwylio'r castall drwy'r dydd. Mae Philip yn dod atom yn aml, a 'dan ni'n cael digon o amser i sgwrsio rhwng y fisitors.

'Nes i anghofio sôn am y parti canu. Mi aeth hwnnw'n ffradach. Mi wrthododd hanner y parti ganu, mewn cefnogaeth i Tudur, Philip a fi. Os nad oeddan ni'n cael dod yn ôl i'r ysgol, doeddan nhw ddim am ganu. Yn y diwedd, mi drodd y parti'n bedwarawd, a dwi'm yn credu y gwnaiff Meri Miwsig faddau i ni byth.

Tua tair wythnos ar ôl syrcas yr Arwisgo, roedd pawb wedi anghofio am Prins Charles, a diddordeb pawb wedi troi at ddyn yn glanio ar y lleuad. Y diwrnod hwnnw, ges i fynd draw i dŷ Tudur am fod ganddo fo set delefision. Roedd y papurau wedi bod yn llawn o'r hanes, ac roeddan ni'n dau wedi cael ein cario gan yr holl frwdfrydedd.

Mi oedd hi'n olygfa ryfeddol. Ro'n i'n methu credu ein bod ni'n eistedd yn G'narfon ac yn gallu gweld dynion yn cyrraedd y lleuad. Roedd o'n ormod i 'mhen i. Mi oedd mam Tudur yn gwylio efo ni, ac roedd hi'n ein bwydo efo brechdanau a bisgedi.

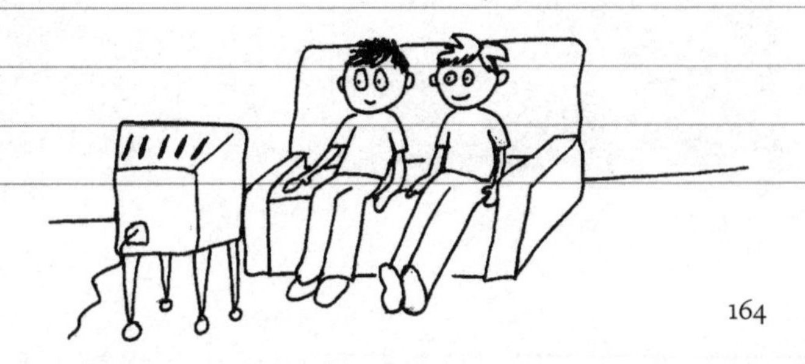

"An-hygoel," medda Tudur, "dwyt ti ddim yn meddwl?"

"Ydw," atebais, wedi fy swyno efo'r cyfan. Roedd rhywbeth arallfydol am y ffilm. Wel – roedd o'n arall-*fydol!* Roedd fy nghalon yn fy ngwddf pan welais *Apollo 11* yn cael ei hanfon i'r gofod, ac ro'n i'n meddwl na faswn i byth yn gallu gwneud hynny – mentro fy mywyd a gadael y blaned yma – yn y gobaith y byddwn yn dod yn ôl. Wedyn, gweld y ddau ddewr yma, yn bownsio cerdded ar y lleuad, a fedrwn i ddim credu bod hyn i gyd yn wir, ac yn digwydd o flaen fy llygaid. Roedd ein byd ni i'w weld yn bell ac yn unig iawn, ond ar yr un pryd, ro'n i'n teimlo rhyw falchder fod dyn wedi gallu cyrraedd y lleuad. Wna i byth anghofio geiriau Neil Armstong chwaith, "That's one small step for man, one giant leap for mankind."

Y diwrnod wedyn, ar y Cei Llechi, a Tudur a finnau heb werthu fawr o gornets y bore hwnnw, roeddan ni'n cael hoe yn ymyl y fan, ac yn edrych ar y castall.

"Mae hwn yn mynd i fod yn haf gwerth chweil," meddwn i wrth Tudur.

"Ydi o?" gofynnodd yntau. "Pam felly?"

"Wn i ddim," meddwn, "jest teimlo felly ydw i."

'Nes i ddim deud wrtho fo, ond roedd wnelo fo rywbeth â'r ffaith fod y dynion yna wedi cerdded ar y lleuad. Roedd o wedi gwneud i mi deimlo'n rhan o hanes. Faswn i ddim wedi gallu ei roi o mewn geiriau, ond dwi'n dal i drio deall beth sydd wedi digwydd i mi yr haf hwn.

Mae'n teulu ni wedi'i droi ben i waered yn ystod y ddeufis dwytha. Dwi wedi dod yn nes at Megan – sydd yn braf, ond mae Mam, Dad a finnau'n dal i dynnu'n groes. Mae Megan wedi colli'i swydd, wedi cael cariad, wedi cael ei harestio, ac wedi bod o flaen llys. A dwi mor falch – er i mi gael ffrae – 'mod i wedi bod yn yr achos llys hwnnw.

Dwi'n sicr wedi newid ac wedi tyfu dros y misoedd dwytha, ac wedi dechrau cymryd diddordeb mewn gwleidyddiaeth. O'r blaen, jest hogyn cyffredin oeddwn i, ddim yn meddwl bod dim gallwn i ei wneud i newid pethau. Ond mae hynny wedi newid. Mi fedra i wneud pethau sy'n gallu arwain at ganlyniadau mawr. Falla fod hynna'n golygu mynd i drwbwl, ond dwi'n teimlo'n well o'u gwneud nhw.

CYMRO

Rŵan, dwi'n teimlo'n falch 'mod i'n Gymro. Dwi'n poeni fod rhai pobl yn gwrthod derbyn y Gymraeg, ac mae o ... mae o'n gwneud i mi fod yn fwy balch ohonof fi fy hun. Dwi wedi gweld y newid yma yn Tudur a Philip hefyd. Mi ddylan ni deimlo'n ofnadwy ein bod wedi cael ein hel o'r ysgol, ond dydw i ddim. Bron iawn fod gen i bechod dros y Prif a'r athrawon am drio cynnal ryw system ddwy a dimai yn yr ysgol. Y peth pwysig iddyn nhw ydi ein bod ni'n bihafio. Y peth pwysig i ni ydi fod y byd yn symud yn ei flaen. Ac mae o, ac mae ganddon ni ein rhan i chwarae.

"Dau *ninety-nine*, plis," medda rhyw hen ddynas – prin medrwn i ei gweld gan ei bod hi mor fyr.

Deffrois yn sydyn i'r byd go iawn. Rhoddais y ddau gornet i'r ddynas, a gweld ei gwên wrth iddi dderbyn yr hufen iâ. Fis yn ôl, roedd y castall yma'n llawn pobl bwysig, wedi mopio'u pennau efo rhyw damaid o dywysog. Heddiw, prin fod neb yn cofio, ac mae'r hen le 'ma'n newid yn gyson, ac rydw innau'n rhan o'r bywyd rhyfedd yma.

Mm, dwi'n meddwl y cymera innau gornet hefyd.

Dwi'n ei haeddu!

PENNOD 22

Wnewch chi fyth ddyfalu pwy ddaeth i guro ar ddrws ein tŷ ni noson o'r blaen. Na, waeth i chi heb, wnewch chi fyth ddyfalu, hyd yn oed os tasa dyn yn glanio ar y lleuad ... *wps* ... fedra i ddim deud hynny rŵan, achos mae o wedi digwydd.

Dach chi eisiau gwybod? Wrth gwrs eich bod eisiau gwybod – Alys Mai! Ia, go iawn! Mi ddaeth Megan i fyny i fy llofft a'i llygaid yn sgleinio.

"Hei Robat, dy foment fawr – ma Alys Mai yn y drws!"

Doeddwn i ddim yn ei choelio, ond mi wnaeth Megan fy ngorfodi i fynd i lawr y grisiau – a dyna lle roedd hi, Alys Mai, yn sefyll yno yn ei holl ogoniant.

"Haia," medda fi.

"Haia," medda hithau.

Ro'n i'n dal mewn sioc.

"Pam ti yma?" gofynnais, gan nad oeddwn i'n gallu meddwl am ddim byd arall i'w ddeud.

"Jest isio gwybod os ti'n iawn – ar ôl cael dy ecspelio."

"Dwi'm wedi cael fy ecspelio, jest *suspended*."

"Nid dyna'r stori sy'n mynd o gwmpas yr ysgol ..."

O diar, ella 'mod i wedi cael fy ecspelio a 'mod i heb ddeall. Megan annwyl ddaru achub y sefyllfa.

"Ti'm yn mynd i wadd yr hogan i mewn? Yn lle ei gadael hi ar y rhiniog fel rhyw *Avon lady*.

Edrychais ar Alys, ond wyddwn i ddim sut i'w gwadd hi.

"Tyrd i mewn, hogan! Ma hwn yn medru bod yn rêl llo. Tyrd i'r gegin! Panad o de?"

Ac mi ddaeth Alys i mewn, mynd heibio i mi, a dilyn Megan i'r gegin. Mewn dim, roedd Megan wedi gwneud panad o de i ni'n dau, eu rhoi ar y bwrdd, ac wedyn – ei miglo hi trwy'r drws! Ro'n i ar fy mhen fy hun yn y gegin efo Alys Mai! Ond diolch byth, wedi cael panad, ro'n i'n teimlo mwy fatha fi fy hun, wedi dod dros y sioc, ac roedd rhywbeth reit braf mewn siarad efo rhywun o'r ysgol.

"Ydi o'n od peidio mynd i'r ysgol?" gofynnodd Alys.

"Mmm," medda fi, "roedd o'n braf ar y cychwyn, ond dwi'n eich colli chi i gyd."

"... ydi, mae'n rhyfadd hebddo chi'ch tri. Ar y dechrau, dyna'r cwbwl roedd pawb yn siarad amdano ..."

"Ydyn nhw'n deud petha cas?"

"Nac ydyn, siŵr – dach chi'n rhyw fath o arwyr. Ond mae'r holl beth wedi codi ofn ar bawb."

Yn sydyn, gofynnais y cwestiwn ro'n i eisiau'i ofyn. "Be oeddat ti'n ei feddwl o be ddaru ni ei neud?"

"Wnaeth o wneud i mi feddwl ..."

Yfodd ei the, a chario ymlaen. "Ro'n i'n gwybod bod rhywbeth ar droed, ond o'n i ddim isio bod yn rhan ohono. Dwi jest isio gwneud be sy'n iawn y rhan fwyaf o'r amser – achos dwi ddim isio mynd i drwbwl. Ond roedd be wnaethoch chi, wel – dim er eich mwyn chi'ch hun oeddach chi'n ei wneud o, naci?"

"Naci. Faswn innau ddim wedi'i wneud rhyw dri mis yn ôl. Megan sydd wedi dylanwadu arna i ... a

Chymdeithas yr Iaith, a'r llys, a'r rali – mae pob dim wedi gwneud i mi feddwl yn wahanol."

"Rydan ni wedi dadlau cryn dipyn yn y dosbarth, rhaid i mi ddeud – biti dy fod wedi colli'r dadleuon rheini!" medda Alys gan chwerthin. "Elma Pritch wedi troi'n rhyw fath o Glyndŵr! Mae Linda Mair yn dechrau gweld ei bod yn colli'r frwydr ... a Harri ac Elis – mae pawb yn dadlau am y peth."

Roedd jest clywed eu henwau'n codi hiraeth arna i.

"Ac mae o wedi gwneud i mi gymryd mwy o ddiddordab mewn be sy'n digwydd o 'nghwmpas i. Dwi'n gwrando ar y *news* rŵan!"

"Pam?"

"Am 'mod i isio deall be wnaeth i chdi wneud be 'nes ti ... am wn i."

Mwya sydyn, doeddwn i ddim eisiau bod yn y gegin, ro'n i eisiau bod allan yn yr awyr iach, yng nghwmni Alys Mai.

"Ti awydd mynd am dro?" gofynnais yn sydyn, cyn i mi golli fy hyder.

"Ia, iawn ..."

Ac roedd o mor syml â hynny. Hi a fi a strydoedd C'narfon. Doedd dim ots ganddi hi i le roeddan ni'n mynd, a dyma fi'n deud bod hi'n braf ar ben mynydd Twtil. Yn y diwedd, dyma fi'n deud wrthi, "Diolch am ddod draw i 'ngweld i – roedd o'n beth clên iawn i'w neud."

Ddeudodd hi ddim byd am dipyn.

"Rydan ni wedi sôn amdanoch chi bob dydd, a dwi wedi bod yn meddwl llawer amdanat ti. Roeddat ti ar fy meddwl i heno, a ro'n i jest isio gwybod sut oeddat ti. A dyma fi'n deud wrthaf fi fy hun – dos draw i'w weld, a rhoi cnoc ar y drws – wnaiff o mo dy fwyta di!"

"Dwi mor falch i ti neud. Tan i ti sôn am y criw, 'nes i ddim sylwi cymaint ro'n i'n eich colli chi. Colli'r hwyl yn fwy na dim arall – mae pob dim mor uffernol o ddifrifol tu allan i'r ysgol."

"Un peth mae ein *class* ni'n gwybod amdano ydi sut i gael hwyl." chwarddodd Alys.

Roeddan ni'n berffaith gyfforddus yng nghwmni'n gilydd, a mân siarad fuon ni am oriau. Yn y diwedd, roedd hi wedi dechrau tywyllu, a dyma ni'n gorwedd ar ein cefnau, ac edrych i fyny ar y nos. Dyna lle roedd hi – y lleuad fawr felen yn edrych i lawr arnon ni.

Gafaelais yn ei llaw.

"Ti'n cofio chdi'n deud dy fod yn lecio sbio ar y sêr?"

"Ym ..."

"'Nes di wylio'r *moon landing*?"

"Do."

"Da oedd o, 'de?"

"Hm ... Jest sbia ar y sêr, Robat," medda hi. "Ti 'run fath â rygarŷg."

Be goblyn oedd rygarŷg?

Ro'n i'n siarad gormod. Dyma fi'n ymlacio, a sbio i fyny ar y nos. Ac wrth i mi sbio go iawn, mi 'nes innau dawelu. Does na'm byd mwy rhyfeddol nag edrych ar y nos a'r sêr a gadael i'ch meddwl chi grwydro'n bell bell i ffwrdd. A drwy'r amser ro'n i'n syllu, ro'n i'n ymwybodol o Alys Mai wrth fy ochr, ac roedd ei bysedd yn mwytho fy llaw.

Ar ôl amser maith, dyma Alys yn sibrwd, "Deud rhwbath, Robat. Ti byth mor dawal â hyn"

"Deud ti wrtha i be ydi

rygarŷg!" medda fi, a dechrau chwerthin. Chwerthin fuon ni wedyn, chwarae a chwerthin plant bach yn gwirioni yng nghwmni ein gilydd.

A fan'na wna i eich gadael chi. Wna i adael i chi lithro yn ôl i ganol y nos fawr ddu. Achos dim ond gymaint â hynny fedra i ei rannu efo chi. Ond mae o'n lle da i ffarwelio efo chi – ar dop Twtil, efo'r lleuad a'r sêr yn gwmni, ac Alys Mai yn hapus wrth fy ochr.